La Cafetière et autres contes fantastiques

Théophile Gautier

Notes, questionnaires et dossier Bibliocollège
par **Bertrand LOUËT,**
professeur certifié de Lettres modernes

Crédits photographiques

couverture : œuvre de Fragonard, Musée du Louvre, photo Hachette Livre. **p. 5 :** gravure sur pierre par G. Moore, d'après des croquis de O. Jones et J. Goury parus dans le livre *View on the Nile*, Londres, 1843, photo Hachette Livre. **p. 7 :** *Bal costumé (époque Louis XV) dans les salons de M. le comte de Morny* (détail), photo Hachette Livre. **p. 16 :** photo Hachette Livre. **p. 20 :** photo Hachette Livre. **p. 24 :** photo Hachette Livre. **p. 28 :** *Allégorie* (détail), gravure d'après un dessin de François Boucher. Photo Hachette Livre. **p. 31 :** photo Hachette Livre. **p. 36 :** photo Hachette Livre. **p. 43 :** photo Bulloz. **p. 51 :** *Paysage de neige* par Joss-Momper. Musée de Quimper. Photo Hachette Livre. **p. 55 :** photo Jean Loup Charmet. **p. 66 :** « Pour Raoul de Cambrai ». Cliché Hachette Livre. **p. 69 :** bibl. des Arts décoratifs. Photo Jean Loup Charmet. **p. 72 :** Manuscrit sur papyrus trouvé dans l'enveloppe d'une momie. Sacrifice à quatre divinités. Dessin par V. Denon, photo Hachette Livre. **p. 75 :** photo Jean Loup Charmet. **p. 90 :** photo Hachette Livre. **p. 95 :** photo Hachette Livre. **p. 99 :** *Le Grand Monde dans les loges* (détail), Paris, bibl. des Arts décoratifs. Photo Hachette Livre. **p. 100 :** photo Hachette Livre. **p. 109 :** photo Hachette Livre. **p. 111 :** photo Jean Loup Charmet. **p. 115 :** photo Hachette Livre. **p. 132 :** portrait de Théophile Gautier d'après une photo de Nadar. Photo Hachette Livre. **p. 146 :** *Méphistophélès dans les airs*. Lithographie d'Eugène Delacroix. Photo Hachette Livre.

Conception graphique

Couverture : *Rampazzo & Associés*

Intérieur : *ELSE*

Mise en page

Médiamax

Illustration des questionnaires

Harvey Stevenson

ISBN : 2.01.167951.6

© Hachette Livre 2000, 43, quai de Grenelle, 75905 PARIS Cedex 15.
www.hachette-education.com
Tous droits de traduction, de reproduction et d'adaptation réservés pour tous pays.

Le Code de la propriété intellectuelle n'autorisant, aux termes des articles L.122-4 et L.122-5, d'une part, que les « copies ou reproductions strictement réservées à l'usage privé du copiste et non destinées à une utilisation collective », et, d'autre part, que « les analyses et les courtes citations » dans un but d'exemple et d'illustration, « toute représentation ou reproduction intégrale ou partielle, faite sans le consentement de l'auteur ou de ses ayants droit ou ayants cause, est illicite ».
Cette représentation ou reproduction par quelque procédé que ce soit, sans l'autorisation de l'éditeur ou du Centre français de l'exploitation du droit de copie (20, rue des Grands-Augustins, 75006 Paris), constituerait donc une contrefaçon sanctionnée par les Articles 425 et suivants du Code pénal.

Sommaire

Pour Jeanne et Marguerite.

Introduction

Une cafetière et des objets animés, des personnages qui descendent de leurs tableaux, un Parisien qu'une momie vivante entraîne dans l'Égypte des pharaons... : le plaisir de lire les contes fantastiques de Gautier est d'abord fondé sur la terreur délicieuse qu'ils nous font éprouver. En nous fascinant par d'inexplicables mystères, Théophile Gautier joue en effet avec brio des ressorts de la littérature fantastique, en ajoutant les couleurs propres du romantisme, le mouvement qui domine le paysage littéraire français de 1820 à 1850 et dont il est, lorsqu'il fait paraître *La Cafetière*, en 1831, l'un des représentants les plus en vue.

Le Kiosque de Trajan au siècle dernier, à Philae, en Nubie (République arabe d'Égypte).

Les romantiques opposent à la vision classique, fondée sur la raison, une logique nouvelle fondée sur la sensibilité. Ils vont chercher leur inspiration à l'étranger et dans l'histoire. À l'homme classique, tranquille et équilibré, le romantisme oppose l'individu tourmenté et déchiré en prise avec les contradictions de l'histoire et les mystères de la nature. Le genre fantastique est, pour la plupart des écrivains du romantisme, une manière de représenter ces inquiétudes et ces interrogations.

Les personnages de Gautier, à la recherche d'un amour ou d'une unité impossible, s'inscrivent dans cette perspective et nous entraînent aux sources d'inspiration historique et géographique du romantisme : le Moyen Âge brumeux et chevaleresque, le XVIIIe siècle galant, l'Égypte ancienne et son éternité, l'Autriche et ses étudiants agités, romanesques et frondeurs, la Norvège glacée.

Esprit aimable, érudit et avisé, Gautier se cache souvent derrière ses personnages, et c'est un grand plaisir de visiter ce panorama romantique et fantastique avec lui.

La Cafetière
conte fantastique

J'ai vu sous de sombres voiles
Onze étoiles,
La lune aussi le Soleil,
Me faisant la révérence,
En silence,
Tout le long de mon sommeil
La Vision de Joseph[1]

I

L'année dernière, je fus invité, ainsi que deux de mes camarades d'atelier, Arrigo Cohic et Pedrino Borgnioli, à passer quelques jours dans une terre[2] au fond de la Normandie.

notes

1. La Vision de Joseph : poème inspiré de la Genèse, dont l'auteur est inconnu.

2. une terre : une propriété.

Le temps, qui, à notre départ, promettait d'être superbe, s'avisa de changer tout à coup, et il tomba tant de pluie, que les chemins creux où nous marchions étaient comme le lit d'un torrent.

Nous enfoncions dans la bourbe jusqu'aux genoux, une couche épaisse de terre grasse s'était attachée aux semelles de nos bottes, et par sa pesanteur ralentissait tellement nos pas, que nous n'arrivâmes au lieu de notre destination qu'une heure après le coucher du soleil.

Nous étions harassés ; aussi, notre hôte, voyant les efforts que nous faisions pour comprimer nos bâillements et tenir les yeux ouverts, aussitôt que nous eûmes soupé, nous fit conduire chacun dans notre chambre.

La mienne était vaste ; je sentis, en y entrant, comme un frisson de fièvre, car il me sembla que j'entrais dans un monde nouveau.

En effet, l'on aurait pu se croire au temps de la Régence[1], à voir les dessus-de-porte de Boucher[2] représentant les quatre Saisons[3], les meubles surchargés d'ornements de rocaille[4] du plus mauvais goût, et les trumeaux[5] des glaces sculptés lourdement.

Rien n'était dérangé. La toilette[6] couverte de boîtes à peignes, de houppes à poudrer, paraissait avoir servi la veille.

notes

1. la Régence : gouvernement de Philippe d'Orléans, pendant la minorité de Louis XV, de 1715 à 1723. Époque de relâchement des mœurs.

2. Boucher (François) : peintre français (1703-1770) très en vogue pendant le règne de Louis XV, maître de la peinture galante et rococo.

3. les quatre Saisons : représentation allégorique des saisons sous la forme de personnages.

4. rocaille : style en vogue sous Louis XV, qui rappelle les volutes des coquillages ou de certaines pierres.

5. trumeaux : parties d'un mur comprises entre deux portes ou deux fenêtres ; peintures ou ornements placés à cet endroit. Miroirs surmontés d'une peinture.

6. toilette : meuble muni d'un miroir qui servait à se farder et à se coiffer.

Deux ou trois robes de couleurs changeantes, un éventail semé de paillettes d'argent, jonchaient le parquet bien ciré, et, à mon grand étonnement, une tabatière d'écaille ouverte sur la cheminée était pleine de tabac encore frais.

Je ne remarquai ces choses qu'après que le domestique, déposant son bougeoir sur la table de nuit, m'eut souhaité un bon somme, et, je l'avoue, je commençai à trembler comme la feuille. Je me déshabillai promptement, je me couchai, et, pour en finir avec ces sottes frayeurs, je fermai bientôt les yeux en me tournant du côté de la muraille.

Mais il me fut impossible de rester dans cette position : le lit s'agitait sous moi comme une vague, mes paupières se retiraient violemment en arrière. Force me fut de me retourner et de voir.

Le feu qui flambait jetait des reflets rougeâtres dans l'appartement, de sorte qu'on pouvait sans peine distinguer les personnages de la tapisserie et les figures des portraits enfumés pendus à la muraille.

C'étaient les aïeux de notre hôte, des chevaliers bardés de fer, des conseillers en perruque, et de belles dames au visage fardé et aux cheveux poudrés à blanc, tenant une rose à la main.

Tout à coup le feu prit un étrange degré d'activité ; une lueur blafarde illumina la chambre, et je vis clairement que ce que j'avais pris pour de vaines peintures était la réalité ; car les prunelles de ces êtres encadrés remuaient, scintillaient d'une façon singulière ; leurs lèvres s'ouvraient et se fermaient comme des lèvres de gens qui parlent, mais je n'entendais rien que le tic-tac de la pendule et le sifflement de la bise d'automne.

Une terreur insurmontable s'empara de moi, mes cheveux se hérissèrent sur mon front, mes dents s'entre-

60 choquèrent à se briser, une sueur froide inonda tout mon corps.

La pendule sonna onze heures. Le vibrement du dernier coup retentit longtemps, et, lorsqu'il fut éteint tout à fait…

Oh ! non, je n'ose pas dire ce qui arriva, personne ne me
65 croirait, et l'on me prendrait pour un fou.

Les bougies s'allumèrent toutes seules ; le soufflet, sans qu'aucun être visible lui imprimât le mouvement, se prit à souffler le feu, en râlant comme un vieillard asthmatique, pendant que les pincettes fourgonnaient dans les tisons et
70 que la pelle relevait les cendres.

Ensuite une cafetière se jeta en bas d'une table où elle était posée, et se dirigea, clopin-clopant, vers le foyer, où elle se plaça entre les tisons.

Quelques instants après, les fauteuils commencèrent à
75 s'ébranler, et, agitant leurs pieds tortillés d'une manière surprenante, vinrent se ranger autour de la cheminée.

Au fil du texte

Questions sur le chapitre I (pages 7 à 10)

Avez-vous bien lu ?

1. À quand remonte l'histoire ?
☐ dix ans ☐ cinq ans ☐ un an.

2. Où est située l'action de la nouvelle ?
☐ en Normandie ☐ en Italie ☐ en Allemagne.

3. Où le narrateur a-t-il l'impression d'entrer lorsqu'il pénètre dans sa chambre ?

4. À quelle heure les objets commencent-ils à s'animer ?

Étudier le vocabulaire et la grammaire

5. Aux lignes 35 et 39, quelle figure identique emploie le narrateur pour décrire le mouvement qui l'anime, lui, puis son lit ? Que peut-on conclure de ce parallèle ?

6. Lignes 64-65 : dites dans quelle mesure la prétérition* et le mode verbal préparent le destinataire* à accepter pour vrai un récit invraisemblable.

Étudier le discours

7. L'énumération* des objets disposés sur le parquet, sur la toilette et sur la cheminée (l. 26 à 31) suggère de manière implicite* que la chambre est :
☐ en désordre et sale. ☐ impersonnelle et froide.
☐ accueillante et chaleureuse. ☐ habitée et inquiétante.

prétérition : **figure de style qui consiste à parler de quelque chose en déclarant que l'on ne va pas en parler.**

destinataire : **celui à qui s'adresse le discours ou le récit.**

énumération : **figure de style qui consiste à détailler les différents éléments ou parties d'un tout.**

implicite : **message sous-entendu par un énoncé, qui transparaît sans être dit.**

ÉTUDIER LE GENRE : LA NOUVELLE FANTASTIQUE

(Voir la définition du fantastique, p. 142.)

8. Que ressent le narrateur dès qu'il entre dans sa chambre ?

☐ un grand froid.
☐ une fatigue subite.
☐ un frisson de fièvre.

9. Étudiez la perception du narrateur.

a) Peut-il voir ? Est-il totalement lucide ?
b) Dans ces conditions, quelle valeur a son témoignage ?
c) En quoi cela contribue-t-il à la mise en place de l'hésitation fantastique ?

***incipit* :** premières lignes, début du récit, qui mettent en place les éléments essentiels.

***effet d'attente* :** procédé qui permet de maintenir l'attention du lecteur éveillée en suggérant qu'une suite est nécessaire pour que le récit soit complet.

ÉTUDIER LA FONCTION DE CE PASSAGE : LE RÔLE DE L'INCIPIT*

10. De la ligne 1 à la ligne 20.

a) Quel événement transforme l'environnement ?
b) À quel moment précis le narrateur et ses compagnons arrivent-ils chez leur hôte ?
c) En quoi les observations que vous venez de faire permettent-elles de dire que le narrateur arrive dans un environnement qui se révèle inquiétant ?

11. Quelle explication du titre de la nouvelle peut-on donner après avoir lu ce premier chapitre ?

ÉTUDIER UN THÈME : L'ANIMATION D'OBJETS

12. Montrez que les objets s'animent successivement dans un ordre logique et selon une succession qui crée chez le lecteur un effet d'attente*.

13. Quel parallèle pouvez-vous établir entre la description de la toilette et l'animation des objets ?

À VOS PLUMES !

14. Vous êtes hébergé(e) dans une chambre dont les objets s'animent. Racontez à la première personne et en donnant des indices sur votre perception.

II

Je ne savais que penser de ce que je voyais ; mais ce qui me restait à voir était encore bien plus extraordinaire.

Un des portraits, le plus ancien de tous, celui d'un gros
80 joufflu à barbe grise, ressemblant, à s'y méprendre, à l'idée que je me suis faite du vieux sir John Falstaff[1], sortit, en grimaçant, la tête de son cadre, et, après de grands efforts, ayant fait passer ses épaules et son ventre rebondi entre les ais[2] étroits de la bordure, sauta lourdement par terre.

85 Il n'eut pas plutôt pris haleine, qu'il tira de la poche de son pourpoint[3] une clef d'une petitesse remarquable ; il souffla dedans pour s'assurer si la forure[4] était bien nette, et il l'appliqua à tous les cadres les uns après les autres.

Et tous les cadres s'élargirent de façon à laisser passer aisé-
90 ment les figures qu'ils renfermaient.

Petits abbés poupins[5], douairières[6] sèches et jaunes, magistrats à l'air grave ensevelis dans de grandes robes noires, petits-maîtres[7] en bas de soie, en culotte de prunelle[8], la pointe de l'épée en haut, tous ces personnages présentaient
95 un spectacle si bizarre, que, malgré ma frayeur, je ne pus m'empêcher de rire.

Ces dignes personnages s'assirent ; la cafetière sauta légèrement sur la table. Ils prirent le café dans des tasses du Japon blanches et bleues, qui accoururent spontanément de dessus

notes

1. Falstaff : type du bouffon cynique, ivrogne et vantard, dans le théâtre de Shakespeare.

2. ais : planches (vieilli).

3. pourpoint : gilet à l'ancienne qui descendait un peu au-dessous de la ceinture.

4. forure : percement de la tige d'une clef.

5. poupins : qui ont les traits d'une poupée.

6. douairières : vieilles dames de la haute société.

7. petits-maîtres : jeunes élégants d'allure maniérée et prétentieuse.

8. prunelle : étoffe de laine ou de soie.

100 un secrétaire, chacune d'elles munie d'un morceau de sucre et d'une petite cuiller d'argent.

Quand le café fut pris, tasses, cafetières et cuillers disparurent à la fois, et la conversation commença, certes la plus curieuse que j'aie jamais ouïe, car aucun de ces étranges cau-
105 seurs ne regardait l'autre en parlant : ils avaient tous les yeux fixés sur la pendule.

Je ne pouvais moi-même en détourner mes regards et m'empêcher de suivre l'aiguille qui marchait vers minuit à pas imperceptibles.

110 Enfin, minuit sonna ; une voix, dont le timbre était exactement celui de la pendule, se fit entendre et dit :

– Voici l'heure, il faut danser.

Toute l'assemblée se leva. Les fauteuils se reculèrent de leur propre mouvement ; alors, chaque cavalier prit la main
115 d'une dame, et la même voix dit :

– Allons, messieurs de l'orchestre, commencez !

J'ai oublié de dire que le sujet de la tapisserie était un concerto italien d'un côté, et de l'autre une chasse au cerf où plusieurs valets donnaient du cor. Les piqueurs et les
120 musiciens, qui, jusque-là, n'avaient fait aucun geste, inclinèrent la tête en signe d'adhésion.

Le maestro leva sa baguette, et une harmonie vive et dansante s'élança des deux bouts de la salle. On dansa d'abord le menuet[1].

125 Mais les notes rapides de la partition exécutée par les musiciens s'accordaient mal avec ces graves révérences : aussi chaque couple de danseurs, au bout de quelques minutes, se

notes

1. menuet : danse à trois temps, d'un rythme assez lent, à la mode sous la Régence.

Le Bal paré (fragment), gravure de Duclos d'après Saint-Aubin.

mit à pirouetter comme une toupie d'Allemagne. Les robes de soie des femmes, froissées dans ce tourbillon dansant, 130 rendaient des sons d'une nature particulière ; on aurait dit le bruit d'ailes d'un vol de pigeons. Le vent qui s'engouffrait par-dessous, les gonflait prodigieusement, de sorte qu'elles avaient l'air de cloches en branle.

L'archet des virtuoses passait si rapidement sur les cordes, 135 qu'il en jaillissait des étincelles électriques. Les doigts des flûteurs se haussaient et se baissaient comme s'ils eussent été de vif-argent[1] ; les joues des piqueurs étaient enflées comme des ballons et tout cela formait un déluge de notes et de trilles[2] si pressés et de gammes ascendantes et descendantes 140 si entortillées, si inconcevables, que les démons eux-mêmes n'auraient pu deux minutes suivre une pareille mesure.

Aussi, c'était pitié[3] de voir tous les efforts de ces danseurs pour rattraper la cadence. Ils sautaient, cabriolaient, faisaient des ronds de jambe, des jetés battus[4] et des entrechats[5] de 145 trois pieds de haut, tant que la sueur, leur coulant du front sur les yeux, leur emportait les mouches[6] et le fard. Mais ils avaient beau faire, l'orchestre les devançait toujours de trois ou quatre notes.

La pendule sonna une heure ; ils s'arrêtèrent. Je vis 150 quelque chose qui m'était échappé : une femme qui ne dansait pas.

notes

1. vif-argent : ancien nom du mercure, métal liquide et brillant. Se dit de ce qui brille et se déplace si vite qu'il est insaisissable comme le mercure.

2. trilles : battements rapides et ininterrompus sur deux notes voisines.

3. c'était pitié : c'était triste.

4. jetés battus : sauts où les jambes se croisent pendant le saut.

5. entrechats : sauts pendant lesquels les pieds battent rapidement l'un contre l'autre.

6. mouches : faux grains de beauté en tissu noir, très prisés des femmes coquettes au XVIIIe siècle.

Elle était assise dans une bergère[1] au coin de la cheminée, et ne paraissait pas le moins du monde prendre part à ce qui se passait autour d'elle.

155 Jamais, même en rêve, rien d'aussi parfait ne s'était présenté à mes yeux ; une peau d'une blancheur éblouissante, des cheveux d'un blond cendré, de longs cils et des prunelles bleues, si claires et si transparentes, que je voyais son âme à travers aussi distinctement qu'un caillou au fond d'un 160 ruisseau.

Et je sentis que, si jamais il m'arrivait d'aimer quelqu'un, ce serait elle. Je me précipitai hors du lit, d'où jusque-là je n'avais pu bouger, et je me dirigeai vers elle, conduit par quelque chose qui agissait en moi sans que je pusse m'en 165 rendre compte ; et je me trouvai à ses genoux, une de ses mains dans les miennes, causant avec elle comme si je l'eusse connue depuis vingt ans.

Mais, par un prodige bien étrange, tout en lui parlant, je marquais d'une oscillation de tête la musique qui n'avait pas 170 cessé de jouer ; et, quoique je fusse au comble du bonheur d'entretenir[2] une aussi belle personne, les pieds me brûlaient de danser avec elle.

Cependant je n'osais lui en faire la proposition. Il paraît qu'elle comprit ce que je voulais, car, levant vers le cadran 175 de l'horloge la main que je ne tenais pas :

– Quand l'aiguille sera là, nous verrons, mon cher Théodore.

Je ne sais comment cela se fit, je ne fus nullement surpris de m'entendre ainsi appeler par mon nom, et nous conti-

notes

1. bergère : fauteuil spacieux et confortable.

2. entretenir une aussi belle personne : converser avec une aussi belle personne.

180 nuâmes à causer. Enfin, l'heure indiquée sonna, la voix au timbre d'argent vibra encore dans la chambre et dit :

– Angéla, vous pouvez danser avec monsieur, si cela vous fait plaisir, mais vous savez ce qui en résultera.

– N'importe, répondit Angéla d'un ton boudeur.

185 Et elle passa son bras d'ivoire autour de mon cou.

– *Prestissimo*[1] ! cria la voix.

Et nous commençâmes à valser. Le sein de la jeune fille touchait ma poitrine, sa joue veloutée effleurait la mienne, et son haleine suave[2] flottait sur ma bouche.

190 Jamais de la vie je n'avais éprouvé une pareille émotion ; mes nerfs tressaillaient comme des ressorts d'acier, mon sang coulait dans mes artères en torrent de lave, et j'entendais battre mon cœur comme une montre accrochée à mes oreilles.

195 Pourtant cet état n'avait rien de pénible. J'étais inondé d'une joie ineffable[3] et j'aurais toujours voulu demeurer ainsi, et, chose remarquable, quoique l'orchestre eût triplé de vitesse, nous n'avions besoin de faire aucun effort pour le suivre.

200 Les assistants, émerveillés de notre agilité, criaient bravo, et frappaient de toutes leurs forces dans leurs mains, qui ne rendaient aucun son.

Angéla, qui jusqu'alors avait valsé avec une énergie et une justesse surprenantes, parut tout à coup se fatiguer ; elle 205 pesait sur mon épaule comme si les jambes lui eussent manqué ; ses petits pieds, qui, une minute auparavant, effleuraient le plancher, ne s'en détachaient que lentement, comme s'ils eussent été chargés d'une masse de plomb.

notes

1. prestissimo : rythme très rapide (terme de musique).

2. *suave* : d'une douceur délicieuse et agréable.

3. *ineffable* : qui ne peut pas être dit.

La Valse,
dessin de Gavarni.

– Angéla, vous êtes lasse, lui dis-je, reposons-nous.

210 – Je le veux bien, répondit-elle en s'essuyant le front avec son mouchoir. Mais, pendant que nous valsions, il se sont tous assis ; il n'y a plus qu'un fauteuil, et nous sommes deux.

– Qu'est-ce que cela fait, mon bel ange ? Je vous prendrai sur mes genoux.

III

215 Sans faire la moindre objection, Angéla s'assit, m'entourant de ses bras comme d'une écharpe blanche, cachant sa tête dans mon sein pour se réchauffer un peu, car elle était devenue froide comme un marbre.

Je ne sais pas combien de temps nous restâmes dans cette 220 position, car tous mes sens étaient absorbés dans la contemplation de cette mystérieuse et fantastique créature.

Je n'avais plus aucune idée de l'heure ni du lieu ; le monde réel n'existait plus pour moi, et tous les liens qui m'y attachent étaient rompus ; mon âme, dégagée de sa prison de 225 boue, nageait dans le vague et l'infini ; je comprenais ce que nul homme ne peut comprendre, les pensées d'Angéla se révélant à moi sans qu'elle eût besoin de parler ; car son âme brillait dans son corps comme une lampe d'albâtre[1], et les rayons partis de sa poitrine perçaient la mienne de part en 230 part.

L'alouette chanta, une lueur pâle se joua sur les rideaux.

notes

1. albâtre : pierre blanche et translucide.

Aussitôt qu'Angéla l'aperçut, elle se leva précipitamment, me fit un geste d'adieu, et, après quelques pas, poussa un cri et tomba de sa hauteur.

235 Saisi d'effroi, je m'élançai pour la relever… Mon sang se fige rien que d'y penser : je ne trouvai rien que la cafetière brisée en mille morceaux.

À cette vue, persuadé que j'avais été le jouet de quelque illusion diabolique, une telle frayeur s'empara de moi, que je 240 m'évanouis.

IV

Lorsque je repris connaissance, j'étais dans mon lit ; Arrigo Cohic et Pedrino Borgnioli se tenaient debout à mon chevet.

Aussitôt que j'eus ouvert les yeux, Arrigo s'écria :

245 – Ah ! ce n'est pas dommage ! voilà bientôt une heure que je te frotte les trempes d'eau de Cologne. Que diable as-tu fait cette nuit ? Ce matin, voyant que tu ne descendais pas, je suis entré dans ta chambre, et je t'ai trouvé tout du long étendu par terre, en habit à la française, serrant dans tes 250 bras un morceau de porcelaine brisée, comme si c'eût été une jeune et jolie fille.

– Pardieu ! c'est l'habit de noce de mon grand-père, dit l'autre en soulevant une des basques[1] de soie fond rose à ramages verts. Voilà les boutons de strass[2] et de filigrane[3]

notes

1. basques : pans de veste qui descendent plus bas que les hanches.

2. strass : verre brillant.

3. filigrane : ornement de fils d'or, d'argent et de verre entrelacés.

255 qu'il nous vantait tant. Théodore l'aura trouvé dans quelque coin et l'aura mis pour s'amuser. Mais à propos de quoi t'es-tu trouvé mal ? ajouta Borgnioli. Cela est bon pour une petite-maîtresse qui a des épaules blanches ; on la délace, on lui ôte ses colliers, son écharpe, et c'est une belle occasion de 260 faire des minauderies[1].

– Ce n'est qu'une faiblesse qui m'a pris ; je suis sujet à cela[2] , répondis-je sèchement.

Je me levai, je me dépouillai de mon ridicule accoutrement.

265 Et puis l'on déjeuna.

Mes trois camarades mangèrent beaucoup et burent encore plus ; moi, je ne mangeais presque pas, le souvenir de ce qui s'était passé me causait d'étranges distractions[3].

Le déjeuner fini, comme il pleuvait à verse, il n'y eut pas 270 moyen de sortir ; chacun s'occupa comme il put. Borgnioli tambourina des marches guerrières sur les vitres ; Arrigo et l'hôte firent une partie de dames ; moi, je tirai de mon album un carré de vélin[4], et je me mis à dessiner.

Les linéaments[5] presque imperceptibles tracés par mon 275 crayon, sans que j'y eusse songé le moins du monde, se trouvèrent représenter avec la plus merveilleuse exactitude la cafetière qui avait joué un rôle si important dans les scènes de la nuit.

notes

1. *minauderies* : mines que l'on prend pour attirer l'attention, plaire et séduire.

2. *je suis sujet à cela* : cela m'arrive.

3. *étranges distractions* : moments d'absence et de rêverie.

4. *vélin* : papier luxueux et d'une très grande blancheur.

5. *linéaments* : traits formant l'ébauche d'un dessin.

– C'est étonnant comme cette tête ressemble à ma sœur
280 Angéla, dit l'hôte, qui, ayant terminé sa partie, me regardait travailler par-dessus mon épaule.

En effet, ce qui m'avait semblé tout à l'heure une cafetière était bien réellement le profil doux et mélancolique d'Angéla.

285 – De par tous les saints du paradis ! est-elle morte ou vivante ? m'écriai-je d'un ton de voix tremblant, comme si ma vie eût dépendu de sa réponse.

– Elle est morte, il y a deux ans, d'une fluxion de poitrine à la suite d'un bal.

290 – Hélas ! répondis-je douloureusement.

Et, retenant une larme qui était près de tomber, je replaçai le papier dans l'album.

Je venais de comprendre qu'il n'y avait plus pour moi de bonheur sur la terre !

***Dame assise,* étude d'Antoine Watteau (1684-1721).**

Au fil du texte

Questions sur les chapitres II, III et IV (pages 14 à 24)

AVEZ-VOUS BIEN LU ?

1. À qui ressemble le premier tableau animé ?

2. À quelle heure les personnages se mettent-ils à danser et à quelle heure s'arrêtent-ils ?

3. Pour quelle raison Angéla et le narrateur arrêtent-ils de danser ?

4. En quel objet se transforme Angéla ?

5. Que dessine le narrateur après le déjeuner ?

ÉTUDIER LE VOCABULAIRE ET LA GRAMMAIRE

6. La voix qui parle aux lignes 110 et 181 a le même « timbre » que la pendule.

a) Cherchez dans un dictionnaire les différents sens sonores de ce terme et précisez celui qui s'applique ici.

b) En quoi le mélange des deux sens contribue-t-il au fantastique ?

7. Le chapitre II commence par une négation.

a) Relevez les autres tournures négatives appliquées au narrateur dans ce chapitre.

b) Quels rôles jouent ces négations dans la mise en place du fantastique ?

ÉTUDIER LE DISCOURS

8. Aux lignes 182-183, la voix donne à Angéla :

☐ une autorisation assortie d'un avertissement.

☐ un conseil et une information.

☐ une énigme et une réponse.

ÉTUDIER L'ÉCRITURE

9. Lignes 155 à 160 : le narrateur décrit Angéla.
a) Quel champ lexical* qualifie le visage d'Angéla ?
b) Quels sont les élément du parallélisme* final ?
c) À partir de vos réponses, dites quel est l'élément le plus marquant de la perfection d'Angéla.

10. Dans le chapitre III, le narrateur propose une seconde description d'Angéla (l. 226 à 230).
a) Cette nouvelle description reprend-elle le même motif que la précédente ?
b) Quels éléments nouveaux apporte-t-elle ?

champ lexical : **ensemble de mots d'un texte qui se rapportent à la même notion.**

parallélisme : **figure qui consiste à répéter une construction syntaxique, comme dans le vers : « *Un rayon du ciel triste, un liard de la terre* » (Hugo).**

ÉTUDIER LE GENRE : LE FANTASTIQUE

11. L'aventure du narrateur a laissé plusieurs traces, que détaille le chapitre IV.
a) Établissez-en un relevé que vous classerez en deux groupes : celles qui invitent à penser qu'il a rêvé ; celles qui, au contraire, laissent supposer que ce qu'il raconte est vraiment arrivé.
b) Selon ce relevé, ce récit est-il fantastique, étrange ou merveilleux (voir p. 143) ?

ÉTUDIER UN THÈME : LA FIGURE ROMANTIQUE DE LA FEMME IDÉALE

12. Une cafetière se métamorphose en femme, redevient cafetière et se brise.
a) La métamorphose se déroule-t-elle toujours dans le même sens ? (Répondez en comparant la fin du chapitre III et la fin du chapitre IV.)
b) La jeune femme apparaît et disparaît deux fois.

Complétez :
La première fois, elle se transforme en .... et se .... Le narrateur ....
La seconde fois, la cafetière n'est qu'un dessin, mais qui se transforme en .... On apprend que cette jeune femme a bien .... mais qu'elle est .... depuis deux ans. Cela plonge le narrateur dans ....

13. **Au début du chapitre IV les compagnons du narrateur le trouvent étrangement vêtu.**
a) À quel type de femme pensent-ils en voyant sa tenue ?
b) En quoi ce type de femme s'oppose-t-il à Angéla ?

14. **À partir de vos réponses aux questions précédentes :**
a) Établissez les principales caractéristiques de la figure de la femme idéale romantique.
b) Dans ces conditions, le bonheur et l'idéal semblent-ils compatibles ?

Lire l'image

15. **Comparez les deux gravures de danseurs (p. 16 et 20).**
a) Quelles sont leurs ressemblances et leurs différences (scène, costumes, époque...) ?
b) Laquelle, selon vous, est la plus représentative de l'atmosphère et des personnages de la nouvelle ?

À vos plumes !

16. **Rédigez le portrait d'un personnage, en employant le champ lexical du chat (chat, angora, tigré, félin, souple, griffe, silencieux, patte, moustache, pelage, fauve...), de manière à souligner sa finesse, son agilité et son air rusé.**

Omphale[1]
histoire rococo[2]

Mon oncle, le chevalier de ★★★[3], habitait une petite maison donnant d'un côté sur la triste rue des Tournelles et de l'autre sur le triste boulevard Saint-Antoine. Entre le boulevard et le corps du logis, quelques vieilles charmilles[4], dévorées d'insectes et de mousse, étiraient piteusement leurs bras décharnés au fond d'une espèce de cloaque[5] encaissé par de noires et hautes murailles. Quelques pauvres fleurs étiolées penchaient languissamment la tête comme des jeunes filles poitrinaires, attendant qu'un rayon de soleil vînt sécher leurs feuilles à moitié pourries. Les herbes avaient fait irruption dans les allées, qu'on avait peine à reconnaître, tant il y avait long-

notes

1. *Omphale* : dans la mythologie, reine de Lydie, épouse d'Hercule.

2. *rococo* : de style rocaille, style débordant d'ornements, de courbes et de volutes, parfois extravagant.

3. * :** masquer le nom du personnage est un procédé pour faire croire au lecteur que le narrateur préserve l'anonymat d'une personne réelle et non qu'il raconte l'histoire d'un personnage fictif.

4. *charmilles* : haies de charmes.

5. *cloaque* : lieu malpropre et malsain.

temps que le râteau ne s'y était promené. Un ou deux poissons rouges flottaient plutôt qu'ils ne nageaient dans un
15 bassin couvert de lentilles d'eau et de plantes de marais.

Mon oncle appelait cela son jardin.

Dans le jardin de mon oncle, outre toutes les belles choses que nous venons de décrire, il y avait un pavillon passablement maussade[1], auquel, sans doute par antiphrase[2], il avait
20 donné le nom de *Délices*. Il était dans un état de dégradation complète. Les murs faisaient ventre ; de larges plaques de crépi s'étaient détachées et gisaient à terre entre les orties et la folle avoine[3] ; une moisissure putride[4] verdissait les assises inférieures ; les bois des volets et des portes avaient joué, et
25 ne fermaient plus ou fort mal. Une espèce de gros pot à feu[5] avec des effluves rayonnantes formait la décoration de l'entrée principale ; car, au temps de Louis XV[6], temps de la construction des *Délices*, il y avait toujours, par précaution, deux entrées. Des oves[7], des chicorées et des volutes sur-
30 chargeaient la corniche toute démantelée par l'infiltration des eaux pluviales. Bref, c'était une fabrique[8] assez lamentable à voir que les *Délices* de mon oncle le chevalier de ***.

Cette pauvre ruine d'hier, aussi délabrée que si elle eût eu mille ans, ruine de plâtre et non de pierre, toute ridée, toute
35 gercée, couverte de lèpre, rongée de mousse et de salpêtre, avait l'air d'un de ces vieillards précoces, usés par de sales

notes

1. maussade : sans grâce, triste.

2. antiphrase : figure de style qui consiste à employer un mot dans le sens contraire au sens véritable, par ironie ou euphémisme.

3. folle avoine : avoine sauvage, mauvaise herbe.

4. putride : pourrissant, généralement malodorant.

5. pot à feu : ornement d'architecture représentant un pot d'où sortent des flammes.

6. Louis XV : roi de France qui régna de 1715 à 1774.

7. oves, chicorées, volutes, corniche : ornements architecturaux.

8. fabrique : terme de peinture pour désigner la représentation d'une construction dans un tableau.

débauches ; elle n'inspirait aucun respect, car il n'y a rien d'aussi laid et d'aussi misérable au monde qu'une vieille robe de gaze et un vieux mur de plâtre, deux choses qui ne
40 doivent pas durer et qui durent.

C'était dans ce pavillon que mon oncle m'avait logé.

L'intérieur n'en était pas moins rococo que l'extérieur, quoiqu'un peu mieux conservé. Le lit était de lampas[1] jaune à grandes fleurs blanches. Une pendule de rocaille[2] posait sur
45 un piédouche[3] incrusté de nacre et d'ivoire. Une guirlande de roses pompon circulait coquettement autour d'une glace de Venise ; au-dessus des portes les quatre saisons étaient peintes en camaïeu[4]. Une belle dame, poudrée à frimas[5], avec un corset bleu de ciel et une échelle de rubans de la
50 même couleur, un arc dans la main droite, une perdrix dans la main gauche, un croissant sur le front, un lévrier à ses pieds, se prélassait et souriait le plus gracieusement du monde dans un large cadre ovale. C'était une des anciennes maîtresses de mon oncle, qu'il avait fait peindre en Diane[6].
55 L'ameublement, comme on voit, n'était pas des plus modernes. Rien n'empêchait que l'on ne se crût au temps de la Régence[7], et la tapisserie mythologique qui tendait les murs complétait l'illusion on ne peut mieux.

La tapisserie représentait Hercule[8] filant aux pieds
60 d'Omphale. Le dessin était tourmenté à la façon de Van

notes

1. lampas : tissu de soie à grands motifs en relief.

2. rocaille : style en vogue sous Louis XV et dont les lignes contournées rappellent les volutes des coquillages ou de certaines pierres.

3. piédouche : petit piédestal.

4. camaïeu : variation de tons d'une seule couleur.

5. poudrée à frimas : ayant les cheveux poudrés de blanc.

6. Diane : déesse latine de la chasse.

7. la Régence : gouvernement de Philippe d'Orléans, pendant la minorité de Louis XV, de 1715 à 1723, généralement considéré comme une époque de relâchement des mœurs.

8. Hercule : héros mythologique célèbre pour avoir accompli les douze travaux. Modèle du héros viril.

***Diane au bain*, peinture de François Boucher (1703-1770). Paris, musée du Louvre.**

Loo[1] et dans le style le plus *Pompadour*[2] qu'il soit possible d'imaginer. Hercule avait une quenouille[3] entourée d'une faveur couleur de rose ; il relevait son petit doigt avec une grâce toute particulière, comme un marquis qui prend une
65 prise de tabac, en faisant tourner, entre son pouce et son index, une blanche flammèche de filasse ; son cou nerveux était chargé de nœuds de rubans, de rosettes, de rangs de perles et de mille affiquets[4] féminins ; une large jupe gorge-de-pigeon, avec deux immenses paniers, achevait de donner
70 un air tout à fait galant au héros vainqueur de monstres.

Omphale avait ses blanches épaules à moitié couvertes par la peau du lion de Némée[5] ; sa main frêle s'appuyait sur la noueuse massue de son amant ; ses beaux cheveux blond cendré avec un œil de poudre descendaient nonchalamment
75 le long de son cou, souple et onduleux comme un cou de colombe ; ses petits pieds, vrais pieds d'Espagnole ou de Chinoise[6], et qui eussent été au large dans la pantoufle de vair[7] de Cendrillon, étaient chaussés de cothurnes[8] demi-antiques, lilas tendre, avec un semis de perles. Vraiment elle
80 était charmante ! Sa tête se rejetait en arrière d'un air de crânerie[9] adorable ; sa bouche se plissait et faisait une délicieuse petite moue[10] ; sa narine était légèrement gonflée, ses joues

notes

1. Van Loo : famille de peintres du XVIIIe siècle.

2. Pompadour : style qui précède le rococo et qui tire son nom de la marquise de Pompadour (1721-1764), maîtresse déclarée de Louis XV de 1745 à 1750.

3. quenouille : instrument servant à maintenir le tissu à filer.

4. affiquets : petits bijoux.

5. lion de Némée : le premier des douze travaux d'Hercule consistait à tuer ce lion invincible qui ravageait la région de Némée.

6. pieds d'Espagnole ou de Chinoise : les Espagnoles et les Chinoises étaient réputées pour avoir de petits pieds, caractéristique considérée comme un critère de beauté féminine à l'époque.

7. vair : fourrure d'écureuil commun.

8. cothurnes : chaussures montantes à semelles épaisses.

9. crânerie : air courageux (terme vieilli).

10. moue : mine, grimace boudeuse.

un peu allumées ; un *assassin*[1], savamment placé, en rehaussait l'éclat d'une façon merveilleuse ; il ne lui manquait qu'une
85 petite moustache pour faire un mousquetaire accompli.

Il y avait encore bien d'autres personnages dans la tapisserie, la suivante obligée, le petit Amour[2] de rigueur ; mais ils n'ont pas laissé dans mon souvenir une silhouette assez distincte pour que je les puisse décrire.

90 En ce temps-là j'étais fort jeune, ce qui ne veut pas dire que je sois très vieux aujourd'hui ; mais je venais de sortir du collège, et je restais chez mon oncle en attendant que j'eusse fait choix d'une profession. Si le bonhomme avait pu prévoir que j'embrasserais celle de conteur fantastique, nul
95 doute qu'il ne m'eût mis à la porte et déshérité irrévocablement ; car il professait pour la littérature en général, et les auteurs en particulier, le dédain le plus aristocratique. En vrai gentilhomme qu'il était, il voulait faire pendre ou rouer de coups de bâton, par ses gens, tous ces petits grimauds[3] qui se
100 mêlent de noircir du papier et parlent irrévérencieusement des personnes de qualité. Dieu fasse paix à mon pauvre oncle ! mais il n'estimait réellement au monde que l'épître à Zétulbé[4].

Donc je venais de sortir du collège. J'étais plein de
105 rêves et d'illusions ; j'étais naïf autant et peut-être plus qu'une rosière de Salency[5]. Tout heureux de ne plus avoir de

notes

1. assassin : mouche (faux grain de beauté) que les dames amoureuses se mettaient au-dessous de l'œil pour figurer une œillade assassine.

2. petit Amour : angelot nu et muni d'un arc qui représente l'amour.

3. grimauds : écrivains médiocres.

4. épître à Zétulbé : l'épître est une lettre, genre littéraire de l'époque qui se rapproche de l'essai. Zétulbé est la protagoniste d'un opéra-comique, *Le Calife de Bagdad*, en vogue à l'époque ; c'est aussi une anagramme de Belzébuth, nom du diable.

5. rosière de Salency : jeune fille vertueuse que l'on récompensait en lui remettant solennellement une couronne de roses, le 8 juin, à Salency, dans l'Oise.

pensums[1] à faire, je trouvais que tout était pour le mieux dans le meilleur des mondes possibles. Je croyais à une infinité de choses ; je croyais à la bergère de M. de Florian[2], aux
115 moutons peignés et poudrés à blanc ; je ne doutais pas un instant du troupeau de madame Deshoulières[3]. Je pensais qu'il y avait effectivement neuf muses[4], comme l'affirmait l'*Appendix de Diis et Heroïbus* du père Jouvency[5]. Mes souvenirs de Berquin et de Gessner[6] me créaient un
120 petit monde où tout était rose, bleu de ciel et vert pomme. Ô sainte innocence ! *sancta simplicitas !* comme dit Méphistophélès[7].

Quand je me trouvai dans cette belle chambre, chambre à moi, à moi tout seul, je ressentis une joie à nulle autre
125 seconde[8]. J'inventoriai soigneusement jusqu'au moindre meuble ; je furetai dans tous les coins, et je l'explorai dans tous les sens. J'étais au quatrième ciel, heureux comme un roi ou deux. Après le souper[9] (car on soupait chez mon oncle), charmante coutume qui s'est perdue avant tant

notes

1. pensums : travaux supplémentaires, punitions.

2. la bergère de M. de Florian : allusion à Jean-Pierre Claris de Florian (1755-1794), auteur de pastorales, romans représentant les amours champêtres et édifiantes de pâtres et de bergères.

3. madame Deshoulières : autre auteur de pastorales (1638-1694).

4. neuf muses : neuf sœurs nées des amours de Zeus et Mnémosyne, inspiratrices des arts et des artistes. Calliope est la muse de l'Épopée, Clio celle de l'Histoire, Polymnie celle de la Poésie, Euterpe celle de la Musique, Terpsichore celle de la Danse, Erato celle du Chœur lyrique, Melpomène celle de la Tragédie, Thalie celle de la Comédie et Uranie celle de l'Astronomie.

5. Appendix de Diis et Heroïbus *du père Jouvency :* abrégé de mythologie du père jésuite Joseph de Jouvency (1643-1719), très souvent utilisé dans l'enseignement.

6. Berquin et Gessner : Arnaud Berquin était auteur de livres pour enfants et Salomon Gessner auteur d'idylles, genre consistant à raconter des histoires d'amours naïves, tendres et chastes.

7. Méphistophélès : le nom du diable dans le *Faust* de Goethe, œuvre traduite par Gérard de Nerval et que Gautier cite ici.

8. à nulle autre seconde : qui a la première place, supérieure à toute autre.

9. souper : dîner, repas du soir.

130 d'autres non moins charmantes que je regrette de tout ce que j'ai de cœur, je pris mon bougeoir et je me retirai, tant j'étais impatient de jouir de ma nouvelle demeure.

En me déshabillant, il me sembla que les yeux d'Omphale avaient remué ; je regardai plus attentivement, 135 non sans un léger sentiment de frayeur, car la chambre était grande, et la faible pénombre lumineuse qui flottait autour de la bougie ne servait qu'à rendre les ténèbres plus visibles. Je crus voir qu'elle avait la tête tournée en sens inverse. La peur commençait à me travailler sérieusement ; je soufflai la 140 lumière. Je me tournai du côté du mur, je mis mon drap par-dessus ma tête, je tirai mon bonnet jusqu'à mon menton, et je finis par m'endormir.

Je fus plusieurs jours sans oser jeter les yeux sur la maudite tapisserie.

145 Il ne serait peut-être pas inutile, pour rendre plus vraisemblable l'invraisemblable histoire que je vais raconter, d'apprendre à mes belles lectrices qu'à cette époque j'étais en vérité un assez joli garçon. J'avais les yeux les plus beaux du monde : je le dis parce qu'on me l'a dit ; un teint un 150 peu plus frais que celui que j'ai maintenant, un vrai teint d'œillet ; une chevelure brune et bouclée que j'ai encore, et dix-sept ans que je n'ai plus. Il ne me manquait qu'une jolie marraine pour faire un très passable Chérubin[1] ; malheureusement la mienne avait cinquante-sept ans et trois dents, ce 155 qui était trop d'un côté et pas assez de l'autre.

Un soir, pourtant, je m'aguerris[2] au point de jeter un coup d'œil sur la belle maîtresse d'Hercule ; elle me regar-

notes

1. Chérubin : personnage du *Mariage de Figaro* de Beaumarchais, modèle de l'adolescent qui s'éveille à l'amour et dont la fraîcheur séduit les femmes. Sa marraine est la comtesse Almaviva.

2. je m'aguerris : je pris courage.

dait de l'air le plus triste et le plus langoureux du monde. Cette fois-là j'enfonçai mon bonnet jusque sur mes épaules
160 et je fourrai ma tête sous le traversin.

***La Romance de Chérubin*, illustration du *Mariage de Figaro* de Beaumarchais, lithographie d'Alexandre Évariste Fragonard.**
Paris, bibl. de l'Arsenal.

Au fil du texte

Questions sur le prologue (pages 28 à 36)

Avez-vous bien lu ?

1. Quel est le nom donné par l'oncle du narrateur au pavillon de son jardin ?

2. Quelle est l'époque de construction du pavillon ?

3. Qui est représenté sur la tapisserie du pavillon ?

Étudier le vocabulaire et la grammaire

4. Analysez la comparaison* des lignes 8 à 11.
a) Indiquez : le comparé, l'outil de comparaison, le comparant, le lien entre comparant et comparé.
b) Quel effet produit cette figure ?

5. Ligne 19 : en vous référant au contexte, dites ce qu'est une antiphrase. Expliquez pourquoi l'expression *« toutes les belles choses que nous venons de décrire »* (l. 17) est aussi une antiphrase.

6. Analysez l'adverbe *« irrévocablement »* (l. 95).
a) À partir de quel verbe est formé cet adverbe ? Donnez le sens de ce verbe.
b) Quel est le sens du préfixe *ir-* et du suffixe *-able* ?
c) Quel est le sens de l'adverbe ?
d) Quelle indication cet adverbe donne-t-il sur le caractère de l'oncle ?

Étudier le discours

7. Lignes 90 à 93 et 145 à 152 : relevez ce qui distingue l'époque du récit* et celle de la narration*.

comparaison : **figure qui rapproche deux éléments, le comparé et le comparant, en établissant entre eux une relation au moyen d'un outil de comparaison. Par exemple : *« Où l'espérance, comme une chauve-souris »* (Baudelaire). Comparé : *« l'espérance »* ; comparant : *« chauve-souris »* ; outil de comparaison : *« comme »*.**

époque du récit : **moment où se déroulent les événements racontés.**

époque de la narration : **moment où le narrateur raconte l'histoire.**

8. Faites l'analyse de la description très détaillée d'Hercule et Omphale (l. 59 à 85).
a) Relevez le champ lexical* dominant du portrait d'Hercule. En quoi ce héros viril est-il traité avec ironie* ?
b) Quel trait de caractère révèle l'expression d'Omphale (l. 80 à 85) ?

9. Le narrateur décrit le jeune homme qu'il était (l. 90 à 122). Relevez dans ce portrait :
a) le champ lexical de la naïveté,
b) la répétition d'un verbe,
c) des exemples montrant la nature purement livresque et scolaire de son expérience.

champ lexical : **ensemble de mots d'un texte qui se rapportent à la même notion.**

ironie : **figure de style qui consiste à dire le contraire de ce qu'on veut laisser entendre.**

parodie : **imitation d'un style dans une intention burlesque ou satirique.**

ÉTUDIER UN THÈME : L'HISTOIRE

10. Ce début de récit fait référence à la Régence. D'après la note 7, p. 30, de quelle période s'agit-il ? Quelle est la caractéristique de cette époque ?

11. *La Cafetière* fait aussi référence à la Régence. Gautier donne-t-il le même contenu symbolique à cette époque dans les deux récits ?

ÉTUDIER LE GENRE : LA PARODIE*

12. Le cadre d'un récit fantastique inquiète par son étrangeté. C'est le cas du jardin ; mais qu'évoque la chambre du narrateur ?
☐ l'inquiétante étrangeté.
☐ le sabbat des sorcières.
☐ la galanterie et l'amour.

13. Omphale se manifeste par des œillades de plus en plus appuyées. Analysez celle des lignes 156 à 160.
a) Quels sentiments exprime-t-elle ?
b) Que veut-elle inspirer au narrateur ?

14. D'après ces observations, ce début de récit fantastique est une parodie de :
- ☐ roman licencieux (érotique) du XVIIIe siècle.
- ☐ récit historique.
- ☐ roman de cape et d'épée.
- ☐ conte de fées.

Étudier la fonction de ce passage : le rôle d'exposition* du début

15. En quoi cette première partie du récit explique-t-elle le titre de la nouvelle ?

16. Identifiez parmi les personnages les principaux rôles d'une comédie galante :
– L'épouse infidèle : ...... – Le mari : ......
– Le jeune amant : ...... – Le père moralisateur : ......

exposition : **au théâtre, premières scènes qui servent à exposer aux spectateurs les personnages et à lancer l'intrigue.**

Lire l'image

17. Les « attributs » sont les objets qui symbolisent un personnage et sa fonction. Par exemple, la couronne et le sceptre, pour le roi. En comparant le portrait et la description de Diane (pp. 30-31), faites la liste de ses attributs et dites en quoi ils la désignent comme la déesse de la chasse.

À vos plumes !

18. Rédigez un portrait physique de l'oncle du narrateur en vous inspirant de la construction de l'autoportrait du narrateur (l. 145 à 155) : *« Il était en vérité un assez... », « Il avait les yeux les plus... etc. »*, que vous adapterez à la personnalité de l'oncle, telle qu'elle transparaît dans ce passage.

Je fis cette nuit-là un rêve singulier, si toutefois c'était un rêve.

J'entendis les anneaux des rideaux de mon lit glisser en criant sur leurs tringles, comme si l'on eût tiré précipitamment les courtines[1]. Je m'éveillai ; du moins dans mon rêve il me sembla que je m'éveillais. Je ne vis personne.

La lune donnait sur les carreaux et projetait dans la chambre sa lueur bleue et blafarde. De grandes ombres, des formes bizarres, se dessinaient sur le plancher et sur les murailles. La pendule sonna un quart ; la vibration fut longue à s'éteindre ; on aurait dit un soupir. Les pulsations du balancier, qu'on entendait parfaitement, ressemblaient à s'y méprendre au cœur d'une personne émue.

Je n'étais rien moins qu'à mon aise et je ne savais trop que penser.

Un furieux coup de vent fit battre les volets et ployer le vitrage de la fenêtre. Les boiseries craquèrent, la tapisserie ondula. Je me hasardai à regarder du côté d'Omphale, soupçonnant confusément qu'elle était pour quelque chose dans tout cela. Je ne m'étais pas trompé.

La tapisserie s'agita violemment. Omphale se détacha du mur et sauta légèrement sur le parquet ; elle vint à mon lit en ayant soin de se tourner du côté de l'endroit. Je crois qu'il n'est pas nécessaire de raconter ma stupéfaction. Le vieux militaire le plus intrépide n'aurait pas été trop rassuré dans une pareille circonstance, et je n'étais ni vieux ni militaire. J'attendis en silence la fin de l'aventure.

notes

1. courtines : rideaux de lit.

Une petite voix flûtée et perlée résonna doucement à mon oreille, avec ce grasseyement mignard[1] affecté sous la
190 Régence par les marquises et les gens du bon ton :

« Est-ce que je te fais peur, mon enfant ? Il est vrai que tu n'es qu'un enfant ; mais cela n'est pas joli d'avoir peur des dames, surtout de celles qui sont jeunes et te veulent du bien ; cela n'est ni honnête ni français ; il faut te corriger de
195 ces craintes-là. Allons, petit sauvage, quitte cette mine et ne te cache pas la tête sous les couvertures. Il y aura beaucoup à faire à ton éducation, et tu n'es guère avancé, mon beau page ; de mon temps les Chérubins étaient plus délibérés[2] que tu ne l'es.

200 – Mais, dame, c'est que…

– C'est que cela te semble étrange de me voir ici et non là, dit-elle en pinçant légèrement sa lèvre rouge avec ses dents blanches, et en étendant vers la muraille son doigt long et effilé. En effet, la chose n'est pas trop naturelle ; mais,
205 quand je te l'expliquerais, tu ne la comprendrais guère mieux : qu'il te suffise donc de savoir que tu ne cours aucun danger.

– Je crains que vous ne soyez le… le…

– Le diable, tranchons le mot, n'est-ce pas ? c'est cela que
210 tu voulais dire ; au moins tu conviendras que je ne suis pas trop noire pour un diable, et que, si l'enfer était peuplé de diables faits comme moi, on y passerait son temps aussi agréablement qu'en paradis. »

Pour montrer qu'elle ne se vantait pas, Omphale rejeta en
215 arrière sa peau de lion et me fit voir des épaules et un sein d'une forme parfaite et d'une blancheur éblouissante.

notes

1. *grasseyement mignard :* prononciation mièvre et affectée.

2. *délibérés :* dégourdis, instruits.

« Eh bien ! qu'en dis-tu ? fit-elle d'un petit air de coquetterie satisfaite.

– Je dis que, quand vous seriez le diable en personne, je
220 n'aurais plus peur, Madame Omphale.

– Voilà qui est parler ; mais ne m'appelez plus ni madame ni Omphale. Je ne veux pas être madame pour toi, et je ne suis pas plus Omphale que je ne suis le diable.

– Qu'êtes-vous donc, alors ?

225 – Je suis la marquise de T***. Quelque temps après mon mariage le marquis fit exécuter cette tapisserie pour mon appartement et m'y fit représenter sous le costume d'Omphale ; lui-même y figure sous les traits d'Hercule. C'est une singulière idée qu'il a eue là ; car, Dieu le sait, per-
230 sonne au monde ne ressemblait moins à Hercule que le pauvre marquis. Il y a bien longtemps que cette chambre n'a été habitée. Moi, qui aime naturellement la compagnie, je m'ennuyais à périr, et j'en avais la migraine. Être avec mon mari, c'est être seule. Tu es venu, cela m'a réjouie ; cette
235 chambre morte s'est ranimée, j'ai eu à m'occuper de quelqu'un. Je te regardais aller et venir, je t'écoutais dormir et rêver ; je suivais tes lectures. Je te trouvais bonne grâce, un air avenant, quelque chose qui me plaisait : je t'aimais enfin. Je tâchai de te le faire comprendre ; je poussais des soupirs,
240 tu les prenais pour ceux du vent ; je te faisais des signes, je te lançais des œillades langoureuses, je ne réussissais qu'à te causer des frayeurs horribles. En désespoir de cause, je me suis décidée à la démarche inconvenante que je fais, et à te dire franchement ce que tu ne pouvais entendre à demi-
245 mot. Maintenant que tu sais que je t'aime, j'espère que… »

La conversation en était là, lorsqu'un bruit de clef se fit entendre dans la serrure.

Omphale tressaillit et rougit jusque dans le blanc des yeux.

***Le Verrou*, peinture de Jean Honoré Fragonard (1732-1806).**
Paris, musée du Louvre.

250 « Adieu ! dit-elle, à demain. » Et elle retourna à sa muraille à reculons, de peur sans doute de me laisser voir son envers.

C'était Baptiste qui venait chercher mes habits pour les brosser.

« Vous avez tort, Monsieur, me dit-il, de dormir les 255 rideaux ouverts. Vous pourriez vous enrhumer du cerveau ; cette chambre est si froide ! »

En effet, les rideaux étaient ouverts ; moi qui croyais n'avoir fait qu'un rêve, je fus très étonné, car j'étais sûr qu'on les avait fermés le soir.

260 Aussitôt que Baptiste fut parti, je courus à la tapisserie. Je la palpai dans tous les sens ; c'était bien une vraie tapisserie de laine, raboteuse au toucher comme toutes les tapisseries possibles. Omphale ressemblait au charmant fantôme de la nuit comme un mort ressemble à un vivant. Je relevai le pan ; 265 le mur était plein ; il n'y avait ni panneau masqué ni porte dérobée. Je fis seulement cette remarque, que plusieurs fils étaient rompus dans le morceau de terrain où portaient les pieds d'Omphale. Cela me donna à penser.

Je fus toute la journée d'une distraction sans pareille ; j'at-270 tendais le soir avec inquiétude et impatience tout ensemble. Je me retirai de bonne heure, décidé à voir comment tout cela finirait. Je me couchai ; la marquise ne se fit pas attendre ; elle sauta à bas du trumeau[1] et vint tomber droit à mon lit ; elle s'assit à mon chevet, et la conversation commença.

275 Comme la veille, je lui fis des questions, je lui demandai des explications. Elle éludait[2] les unes, répondait aux autres d'une manière évasive, mais avec tant d'esprit qu'au bout

notes

1. *trumeau* : partie d'un mur comprise entre deux portes ou deux fenêtres, peinture ou ornement placé à cet endroit. Miroir surmonté d'une peinture.

2. *éluder* : éviter, se dérober à.

d'une heure je n'avais pas le moindre scrupule sur ma liaison avec elle.

280 Tout en parlant, elle passait ses doigts dans mes cheveux, me donnait de petits coups sur les joues et de légers baisers sur le front.

Elle babillait, elle babillait d'une manière moqueuse et mignarde, dans un style à la fois élégant et familier, et tout à 285 fait grande dame, que je n'ai jamais retrouvé depuis dans personne.

Elle était assise d'abord sur la bergère à côté du lit ; bientôt elle passa un de ses bras autour de mon cou, je sentais son cœur battre avec force contre moi. C'était bien une belle et 290 charmante femme réelle, une véritable marquise, qui se trouvait à côté de moi. Pauvre écolier de dix-sept ans ! Il y avait de quoi en perdre la tête ; aussi je la perdis. Je ne savais pas trop ce qui allait se passer, mais je pressentais vaguement que cela ne pouvait plaire au marquis.

295 « Et monsieur le marquis, que va-t-il dire là-bas sur son mur ? »

La peau du lion était tombée à terre, et les cothurnes lilas tendre glacé d'argent gisaient à côté de mes pantoufles.

« Il ne dira rien, reprit la marquise en riant de tout son 300 cœur. Est-ce qu'il voit quelque chose ? D'ailleurs, quand il verrait, c'est le mari le plus philosophe et le plus inoffensif du monde ; il est habitué à cela. M'aimes-tu, enfant ?

– Oui, beaucoup, beaucoup… »

Le jour vint ; ma maîtresse s'esquiva.

305 La journée me parut d'une longueur effroyable. Le soir arriva enfin. Les choses se passèrent comme la veille, et la seconde nuit n'eut rien à envier à la première. La marquise était de plus en plus adorable. Ce manège se répéta pendant assez longtemps encore. Comme je ne dormais pas la nuit, 310 j'avais tout le jour une espèce de somnolence qui ne parut

pas de bon augure à mon oncle. Il se douta de quelque chose ; il écouta probablement à la porte, et entendit tout ; car un beau matin il entra dans ma chambre si brusquement, qu'Antoinette eut à peine le temps de remonter à sa place.

315 Il était suivi d'un ouvrier tapissier avec des tenailles et une échelle.

Il me regarda d'un air rogue[1] et sévère qui me fit voir qu'il savait tout.

« Cette marquise de T★★★ est vraiment folle ; où diable 320 avait-elle la tête de s'éprendre d'un morveux de cette espèce ? fit mon oncle entre ses dents ; elle avait pourtant promis d'être sage ! Jean, décrochez cette tapisserie, roulez-la et portez-la au grenier. »

Chaque mot de mon oncle était un coup de poignard.

325 Jean roula mon amante Omphale, ou la marquise Antoinette de T★★★, avec Hercule, ou le marquis de T★★★, et porta le tout au grenier. Je ne pus retenir mes larmes.

Le lendemain, mon oncle me renvoya par la diligence de B★★★ chez mes respectables parents, auxquels, comme on 330 pense bien, je ne soufflai pas mot de mon aventure.

Mon oncle mourut ; on vendit sa maison et les meubles ; la tapisserie fut probablement vendue avec le reste.

Toujours est-il qu'il y a quelque temps, en furetant chez un marchand de bric-à-brac pour trouver des momeries[2], je 335 heurtai du pied un gros rouleau tout poudreux et couvert de toiles d'araignée.

« Qu'est cela ? dis-je à l'Auvergnat.

– C'est une tapisserie rococo qui représente les amours de madame Omphale et de monsieur Hercule ; c'est du

notes

1. ***d'un air rogue :*** d'un air rude et hautain.

2. ***momeries :*** curiosités.

340 Beauvais[1], tout en soie et joliment conservé. Achetez-moi donc cela pour votre cabinet ; je ne vous le vendrai pas cher, parce que c'est vous. »

Au nom d'Omphale, tout mon sang reflua sur mon cœur.

« Déroulez cette tapisserie », fis-je au marchand d'un ton 345 bref et entrecoupé comme si j'avais la fièvre.

C'était bien elle. Il me sembla que sa bouche me fit un gracieux sourire et que son œil s'alluma en rencontrant le mien.

« Combien en voulez-vous ?

350 – Mais je ne puis vous céder cela à moins de quatre cents francs, tout au juste[2].

– Je ne les ai pas sur moi. Je m'en vais les chercher ; avant une heure je suis ici. »

Je revins avec l'argent ; la tapisserie n'y était plus. Un 355 Anglais l'avait marchandée pendant mon absence, en avait donné six cents francs et l'avait emportée.

Au fond, peut-être vaut-il mieux que cela se soit passé ainsi et que j'aie gardé intact ce délicieux souvenir. On dit qu'il ne faut pas revenir sur ses premières amours ni aller voir 360 la rose qu'on a admirée la veille.

Et puis je ne suis plus assez jeune ni assez joli garçon pour que les tapisseries descendent du mur en mon honneur.

notes

1. du Beauvais : tapisserie fabriquée à Beauvais.

2. tout au juste : au prix le plus juste.

Au fil du texte

Questions sur les apparitions d'Omphale (pages 40 à 47)

AVEZ-VOUS BIEN LU ?

1. Qui interrompt le premier entretien d'Omphale et du narrateur ?

2. Quelles traces Omphale laisse-t-elle de son passage ?

3. Qui rachète la tapisserie à la fin du récit ?

☐ un Anglais ☐ un Espagnol ☐ un Russe

ÉTUDIER LE VOCABULAIRE ET LA GRAMMAIRE

4. Un *« rêve singulier »* (l. 161) et *« c'est une singulière idée »* (l. 229). En vous aidant du dictionnaire :

a) trouvez le sens de l'adjectif *singulier* dans les deux cas ;

b) donnez l'autre sens de cet adjectif.

5. Identifiez le temps verbal employé dans les groupes de phrases suivants, puis dites si le groupe est plutôt narratif ou plutôt descriptif.

a) « La lune [...] *la chambre sa lueur bleue et blafarde. De grandes ombres,* [...] *sur le plancher et sur les murailles »* (l. 167 à 170).

b) « Un furieux coup de vent [...] *ondula »* (l. 176 à 178).

a) temps verbal : .... le groupe est : ....

b) temps verbal : .... le groupe est : ....

6. Analysez, selon l'opposition que vous venez d'identifier, le passage des lignes 181 à 187, et dites ce qui est décrit et ce qui est raconté.

ÉTUDIER LE DISCOURS

7. Que fait Omphale des lignes 201 à 218 ?
☐ des questions ☐ un discours ☐ un récit

8. Le langage de la marquise de T*** est :
☐ pompeux, solennel, ennuyeux.
☐ mignard, moqueur, élégant, familier.
☐ distant, protocolaire, triste.

9. Identifiez le destinataire* explicite* et les destinataires implicites* de la phrase prononcée par l'oncle du narrateur aux lignes 319-320.

ÉTUDIER LE GENRE : LES RUSES DE LA PARODIE

10. L'animation d'une tapisserie est caractéristique du récit fantastique. Pourtant, dès ses premiers mots, Omphale nous entraîne dans un récit galant.
a) Quelles interprétations fantastiques possibles de son apparition Omphale contredit-elle d'emblée par des questions oratoires* ?
b) En quoi les propos et l'attitude d'Omphale et du narrateur sont-ils caractéristiques du marivaudage* ?
c) Quels indices indiquent que le narrateur et Omphale sont de plus en plus familiers au fur et à mesure de l'avancement du récit ?

11. Le récit se termine par une maxime, une morale : *« Il ne faut pas revenir sur ses premières amours. »* Quel en est le sens propre et le sens figuré ?

12. Cette formule finale dévoile le contenu érotique et galant du récit. Quel est alors le rôle de la parodie* du récit fantastique ?
☐ accroître le mystère.
☐ amuser le lecteur.

destinataire : **celui à qui s'adresse le discours ou le récit.**

explicite : **message clairement dit et exprimé.**

implicite : **message sous-entendu par un énoncé, qui transparaît sans être dit.**

question oratoire : **fausse question, affirmation formulée en faisant mine de poser une question.**

marivaudage : **échange de propos galants, raffinés et superficiels.**

parodie : **imitation d'un style dans une intention burlesque ou satirique.**

☐ lui faire peur.
☐ atténuer, pour la rendre plus acceptable, l'expression d'un contenu licencieux.

13. Pouvez-vous citer d'autres procédés littéraires destinés à échapper à la censure ?

ÉTUDIER UN THÈME : L'ANIMATION D'UNE TAPISSERIE OU D'UN TABLEAU

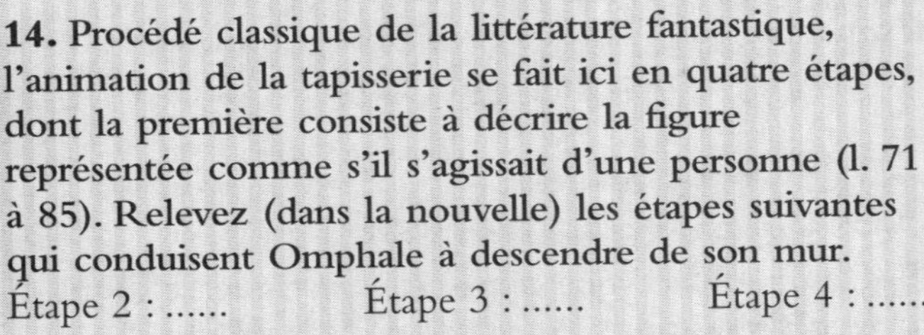

14. Procédé classique de la littérature fantastique, l'animation de la tapisserie se fait ici en quatre étapes, dont la première consiste à décrire la figure représentée comme s'il s'agissait d'une personne (l. 71 à 85). Relevez (dans la nouvelle) les étapes suivantes qui conduisent Omphale à descendre de son mur.

Étape 2 : ...... Étape 3 : ...... Étape 4 : ......

15. *La Cafetière* présente aussi des animations de tableau et fait revivre une morte. Comparez Angéla et la marquise de T***.

a) Angéla est-elle aussi intimement reliée à son modèle que la marquise de T*** ?

b) De quel type de femme sont-elles les représentantes ?

LIRE L'IMAGE

16. La situation des personnages du *Verrou* de Fragonard (p. 43) vous semble-t-elle similaire à celle du narrateur et d'Omphale ?

À VOS PLUMES !

17. Vous êtes l'Anglais qui a acheté la tapisserie ; imaginez un bref récit à la première personne de ce qui vous arrive, dans lequel vous introduirez un dialogue avec Omphale.

Qui rend donc la blonde Edwige si triste ? que fait-elle assise à l'écart, le menton dans sa main et le coude au genou, plus morne que le désespoir, plus pâle que la statue d'albâtre[1] qui pleure sur un tombeau ?

5 Du coin de sa paupière une grosse larme roule sur le duvet de sa joue, une seule, mais qui ne tarit jamais ; comme cette goutte d'eau qui suinte des voûtes du rocher, et qui à la longue use le granit, cette seule larme, en tombant sans relâche de ses yeux sur son cœur, l'a 10 percé et traversé[2] à jour.

Edwige, blonde Edwige, ne croyez-vous plus à Jésus-Christ le doux Sauveur ? doutez-vous de l'indulgence de la très sainte Vierge Marie ? Pourquoi portez-vous sans cesse à votre flanc vos petites mains diaphanes[3], amaigries

notes

1. albâtre : pierre blanche et translucide.

2. traversé à jour : à travers quoi on voit la lumière.

3. diaphanes : transparentes.

15 et fluettes comme celles des Elfes[1] et des Willis[2] ? Vous allez être mère ; c'était votre plus cher vœu : votre noble époux, le comte Lodbrog, a promis un autel[3] d'argent massif, un ciboire[4] d'or fin à l'église de Saint-Euthbert si vous lui donniez un fils.

20 Hélas ! hélas ! la pauvre Edwige a le cœur percé des sept glaives de la douleur ; un terrible secret pèse sur son âme. Il y a quelques mois, un étranger est venu au château ; il faisait un terrible temps cette nuit-là : les tours tremblaient dans leur charpente, les girouettes piaulaient, le feu rampait dans 25 la cheminée, et le vent frappait à la vitre comme un importun qui veut entrer.

L'étranger était beau comme un ange, mais comme un ange tombé ; il souriait doucement et regardait doucement, et pourtant ce regard et ce sourire vous glaçaient de terreur 30 et vous inspiraient l'effroi qu'on éprouve en se penchant sur un abîme. Une grâce scélérate, une langueur perfide comme celle du tigre qui guette sa proie, accompagnaient tous ses mouvements ; il charmait à la façon du serpent qui fascine l'oiseau.

35 Cet étranger était un maître chanteur ; son teint bruni montrait qu'il avait vu d'autres cieux ; il disait venir du fond de la Bohême[5], et demandait l'hospitalité pour cette nuit-là seulement.

Il resta cette nuit, et encore d'autres jours et encore 40 d'autres nuits, car la tempête ne pouvait s'apaiser, et le vieux

notes

1. Elfes : génies symbolisant les forces naturelles dans le folklore scandinave.

2. Willis : danseuses nocturnes dans la mythologie slave et germanique. Selon le poète allemand Heinrich Heine, il s'agit de fiancées mortes avant leur mariage qui satisfont chaque nuit l'amour de la danse qu'elles n'ont pu satisfaire pendant leur courte vie.

3. autel : table sur laquelle on célèbre la messe.

4. ciboire : vase sacré où sont conservées les hosties.

5. Bohême : région située à l'ouest de la République tchèque.

château s'agitait sur ses fondements comme si la rafale eût voulu le déraciner et faire tomber sa couronne de créneaux dans les eaux écumeuses du torrent.

Pour charmer le temps, il chantait d'étranges poésies qui
45 troublaient le cœur et donnaient des idées furieuses ; tout le temps qu'il chantait, un corbeau noir vernissé, luisant comme le jais[1], se tenait sur son épaule ; il battait la mesure avec son bec d'ébène[2], et semblait applaudir en secouant ses ailes. – Edwige pâlissait, pâlissait comme les lis du clair de
50 lune ; Edwige rougissait, rougissait comme les roses de l'aurore, et se laissait aller en arrière dans son grand fauteuil, languissante[3], à demi-morte, enivrée comme si elle avait respiré le parfum fatal de ces fleurs qui font mourir.

Enfin le maître chanteur put partir ; un petit sourire bleu
55 venait de dérider la face du ciel. Depuis ce jour, Edwige, la blonde Edwige ne fait que pleurer dans l'angle de la fenêtre.

Edwige est mère ; elle a un bel enfant tout blanc et tout vermeil[4]. Le vieux comte Lodbrog a commandé au fondeur l'autel d'argent massif, et il a donné mille pièces d'or à l'or-
60 fèvre dans une bourse de peau de renne pour fabriquer le ciboire ; il sera large et lourd, et tiendra une grande mesure de vin. Le prêtre qui le videra pourra dire qu'il est un bon buveur.

L'enfant est tout blanc et tout vermeil, mais il a le regard
65 noir de l'étranger : sa mère l'a bien vu. Ah ! pauvre Edwige ! pourquoi avez-vous tant regardé l'étranger avec sa harpe et son corbeau ?...

notes

1. jais : pierre brillante et noire.

2. ébène : bois exotique de couleur noire.

3. languissante : abattue, faible.

4. vermeil : rouge vif.

Le chapelain[1] ondoie[2] l'enfant ; – on lui donne le nom d'Oluf, un bien beau nom ! – Le mire[3] monte sur la plus
70 haute tour pour lui tirer l'horoscope.

Le temps était clair et froid : comme une mâchoire de loup-cervier aux dents aiguës et blanches, une découpure de montagnes couvertes de neiges mordait le bord de la robe du ciel ; les étoiles larges et pâles brillaient dans la crudité
75 bleue de la nuit comme des soleils d'argent.

Le mire prend la hauteur, remarque l'année, le jour et la minute ; il fait de longs calculs en encre rouge sur un long parchemin tout constellé de signes cabalistiques[4] ; il rentre dans son cabinet, et remonte sur la plate-forme, il ne s'est
80 pourtant pas trompé dans ses supputations[5], son thème de nativité est juste comme un trébuchet[6] à peser les pierres fines ; cependant il recommence : il n'a pas fait d'erreur.

Le petit comte Oluf a une étoile double, une verte et une rouge, verte comme l'espérance, rouge comme l'enfer ; l'une
85 favorable, l'autre désastreuse. Cela s'est-il jamais vu qu'un enfant ait une étoile double ?

Avec un air grave et compassé le mire rentre dans la chambre de l'accouchée et dit, en passant sa main osseuse dans les flots de sa grande barbe de mage :

90 « Comtesse Edwige, et vous, comte Lodbrog, deux influences ont présidé à la naissance d'Oluf, votre précieux fils : l'une bonne, l'autre mauvaise ; c'est pourquoi il a une étoile verte et une étoile rouge. Il est soumis à un double

notes

1. chapelain : prêtre qui dessert une chapelle.

2. ondoie : baptise.

3. mire : médecin. Archaïsme qui désigne ici le mage et l'astrologue du château.

4. signes cabalistiques : signes de la Cabale, science occulte qui permettrait de communiquer avec des êtres surnaturels.

5. supputations : prévisions.

6. trébuchet : balance de précision.

Intérieur d'un château au Moyen Âge tel qu'on se l'imaginait au XIXe siècle. Détail d'une lithographie par Charpentier, XIXe siècle.

ascendant ; il sera très heureux ou très malheureux, je ne sais
95 lequel ; peut-être tous les deux à la fois. »

Le comte Lodbrog répondit au mire : « L'étoile verte l'emportera. » Mais Edwige craignait dans son cœur de mère que ce ne fût la rouge. Elle remit son menton dans sa main, son coude sur son genou, et recommença à pleurer dans le
100 coin de la fenêtre. Après avoir allaité son enfant, son unique occupation était de regarder à travers la vitre la neige descendre en flocons drus et pressés, comme si l'on eût plumé là-haut les ailes blanches de tous les anges et de tous les chérubins[1].

105 De temps en temps un corbeau passait devant la vitre, croassant et secouant cette poussière argentée. Cela faisait penser Edwige au corbeau singulier qui se tenait toujours sur l'épaule de l'étranger au doux regard de tigre, au charmant sourire de vipère.

110 Et ses larmes tombaient plus vite de ses yeux sur son cœur, sur son cœur percé à jour.

Le jeune Oluf est un enfant bien étrange : on dirait qu'il y a dans sa petite peau blanche et vermeille deux enfants d'un caractère différent ; un jour il est bon comme un ange,
115 un autre jour il est méchant comme un diable, il mord le sein de sa mère, et déchire à coup d'ongles le visage de sa gouvernante.

Le vieux comte Lodbrog, souriant dans sa moustache grise, dit qu'Oluf fera un bon soldat et qu'il a l'humeur bel-
120 liqueuse[2]. Le fait est qu'Oluf est un petit drôle insupportable : tantôt il pleure, tantôt il rit ; il est capricieux comme la lune,

notes

1. chérubins : catégorie d'anges.

2. humeur belliqueuse : humeur bagarreuse, combative.

fantasque[1] comme une femme ; il va, vient, s'arrête tout à coup sans motif apparent, abandonne ce qu'il avait entrepris et fait succéder à la turbulence la plus inquiète l'immobilité
125 la plus absolue ; quoiqu'il soit seul, il paraît converser avec un interlocuteur invisible ! Quand on lui demande la cause de toutes ces agitations, il dit que l'étoile rouge le tourmente.

Oluf a bientôt quinze ans. Son caractère devient de plus
130 en plus inexplicable ; sa physionomie, quoique parfaitement belle, est d'une expression embarrassante ; il est blond comme sa mère, avec tous les traits de la race du Nord ; mais sous son front blanc comme la neige que n'a rayée encore ni le patin du chasseur ni maculée le pied de l'ours, et qui
135 est bien le front de la race antique des Lodbrog, scintille entre deux paupières orangées un œil aux longs cils noirs, un œil de jais illuminé des fauves ardeurs de la passion italienne, un regard velouté, cruel et doucereux comme celui du maître chanteur de Bohême.

140 Comme les mois s'envolent, et plus vite encore les années ! Edwige repose maintenant sous les arches ténébreuses du caveau des Lodbrog, à côté du vieux comte, souriant, dans son cercueil, de ne pas voir son nom périr. Elle était déjà si pâle que la mort ne l'a pas beaucoup changée. Sur son tom-
145 beau il y a une belle statue couchée, les mains jointes, et les pieds sur une levrette de marbre, fidèle compagnie des trépassés. Ce qu'a dit Edwige à sa dernière heure, nul ne le sait, mais le prêtre qui la confessait est devenu plus pâle encore que la mourante.

notes

1. *fantasque :* lunatique, imprévisible et sujet à des sautes d'humeur.

Au fil du texte

Questions sur la naissance et l'enfance d'Oluf (pages 51 à 57)

Avez-vous bien lu ?

1. Quel don le comte a-t-il promis à l'Église en remerciement de la naissance d'un fils ?
☐ un autel et un ciboire.
☐ une sculpture et un vitrail.
☐ des chandeliers et un encensoir.

2. Quelle est la cause de la tristesse d'Edwige ?
☐ elle ne peut pas avoir d'enfant.
☐ le chanteur de Bohême est parti.
☐ elle cache un secret.

3. Quel animal accompagne le chanteur ?

4. Que découvre le *« mire »* à propos du nouveau-né ?

5. Quelle est la réaction du prêtre qui confesse Edwige ?

Étudier le vocabulaire et la grammaire

6. Les phrases des lignes 1 à 5 et 11 à 15 sont :
☐ déclaratives ☐ exclamatives
☐ impératives ☐ interrogatives
Indiquez les marques qui vous ont permis de déterminer le type de phrase utilisé par le narrateur.

7. Pour les phrases de la question précédente, dites à qui s'adresse le narrateur.

8. Quel est le temps verbal dominant dans le passage de la ligne 112 (*« Le jeune Oluf »*) à la ligne 128 (*« l'étoile rouge le tourmente »*) ? Quelles sont les valeurs (les significations) que prend ici ce temps ? Donnez au moins un exemple pour chaque valeur.

ÉTUDIER LE DISCOURS

9. Ce récit est raconté par un narrateur extérieur* dont la présence se manifeste toutefois de plusieurs manières. Relevez dans ce premier passage au moins un exemple de ses différentes manifestations.

– il interroge le lecteur : ....

– il interroge un de ses personnages : ....

– il s'exclame : ....

– il donne son avis, émet un jugement de valeur :

....

narrateur extérieur : **se dit lorsque le narrateur ne participe pas à l'histoire qu'il raconte.**

oxymore : **figure de style qui consiste à allier dans une même expression deux termes de sens contradictoire (par exemple : le clair-obscur ou le doux-amer).**

ÉTUDIER L'ÉCRITURE

10. Le chanteur est comparé avec le tigre et le serpent à deux reprises.

a) Lignes 31 à 34 : quelles sont les caractéristiques précises de ces animaux que possède le chanteur ?

b) Lignes 107 à 109 : ces deux animaux apparaissent dans deux oxymores*. Explicitez les idées contradictoires exprimées par ces expressions.

11. Le regard du jeune Oluf est qualifié de *« cruel et doucereux »* (l. 138). En quoi cet oxymore rappelle-t-il le tigre, le serpent et le regard du chanteur ?

Étudier le genre : le récit historique moyenâgeux*

12. Relevez les principaux éléments qui invitent à situer ce récit au Moyen Âge :
a) le cadre et le décor : ......
b) les personnages : ......

13. Analysez l'atmosphère moyenâgeuse et nordique.
a) Relevez plusieurs termes ou tournures qui évoquent le Moyen Âge, une manière vieillie de s'exprimer.
b) Gautier ajoute l'éloignement spatial à l'éloignement temporel. Par quel détail situe-t-il le récit dans un pays nordique ?

récit historique moyenâgeux : **genre où l'action est située au Moyen Âge et qui évoque cette époque par les thèmes et le style. En vogue au XIXe siècle, on l'appelle aussi style gothique.**

Étudier un thème : la dualité

14. Quels sont les deux signes de la dualité de l'enfant dès sa naissance (l. 64 à 67) ?

15. En étudiant la prédiction du « *mire* » (l. 83 à 95) et la description du « *jeune Oluf* » (l. 111 à 128), faites un tableau en deux colonnes des qualités et des défauts qu'Oluf tire de ses deux étoiles.

Lire l'image

16. Quels éléments rappellent la naissance dans la lithographie présentée (p. 55) ?

17. Selon vous, cette image du Moyen Âge correspond-elle à la réalité historique ?

À vos plumes !

18. À l'aide de comparaisons et d'oppositions, faites le portrait d'un être dont la personnalité comporte deux facettes contradictoires.

150 Oluf, le fils brun et blond d'Edwige la désolée, a vingt ans aujourd'hui. Il est très adroit à tous les exercices, nul ne tire mieux l'arc que lui ; il refend la flèche qui vient de se planter en tremblant dans le cœur du but ; sans mors ni éperon il dompte les chevaux les plus sauvages.

155 Il n'a jamais impunément regardé une femme ou une jeune fille ; mais aucune de celles qui l'ont aimé n'a été heureuse. L'inégalité fatale de son caractère s'oppose à toute réalisation de bonheur entre une femme et lui. Une seule de ses moitiés ressent de la passion, l'autre éprouve de la haine ; 160 tantôt l'étoile verte l'emporte, tantôt l'étoile rouge. Un jour il vous dit : « Ô blanches vierges du Nord, étincelantes et pures comme les glaces du pôle ; prunelles de clair de lune ; joues nuancées des fraîcheurs de l'aurore boréale ! » Et l'autre jour il s'écriait : « Ô filles d'Italie, dorées par le soleil 165 et blondes comme l'orange ! cœurs de flamme dans des poitrines de bronze ! » Ce qu'il y a de plus triste, c'est qu'il est sincère dans les deux exclamations.

Hélas ! pauvres désolées, tristes ombres plaintives, vous ne l'accusez même pas, car vous savez qu'il est plus malheureux 170 que vous ; son cœur est un terrain sans cesse foulé par les pieds de deux lutteurs inconnus, dont chacun, comme dans le combat de Jacob et de l'Ange[1], cherche à dessécher le jarret de son adversaire.

Si l'on allait au cimetière, sous les larges feuilles veloutées 175 du verbascum[2] aux profondes découpures, sous l'asphodèle[3] aux rameaux d'un vert malsain, dans la folle avoine[4] et les

notes

1. combat de Jacob et de l'Ange : passage de l'Ancien Testament (Genèse 32, 23-33). Jacob rencontre et combat Dieu. Il en réchappe boiteux, mais béni par Dieu qui lui donne le nom d'Israël.

2. verbascum : nom scientifique d'une sorte d'herbe, la molène.

3. asphodèle : plante à fleur, typique des cimetières.

4. folle avoine : avoine sauvage, mauvaise herbe.

orties, l'on trouverait plus d'une pierre abandonnée où la rosée du matin répand seule ses larmes. Mina, Dora, Thécla ! la terre est-elle bien lourde à vos seins délicats et à vos corps charmants ?

Un jour Oluf appelle Dietrich, son fidèle écuyer ; il lui dit de seller son cheval.

« Maître, regardez comme la neige tombe, comme le vent siffle et fait ployer jusqu'à terre la cime des sapins ; n'entendez-vous pas dans le lointain hurler les loups maigres et bramer ainsi que des âmes en peine les rennes à l'agonie ?

– Dietrich, mon fidèle écuyer, je secouerai la neige comme on fait d'un duvet qui s'attache au manteau ; je passerai sous l'arceau des sapins en inclinant un peu l'aigrette de mon casque. Quant aux loups, leurs griffes s'émousseront sur cette bonne armure, et du bout de mon épée fouillant la glace, je découvrirai au pauvre renne, qui geint et pleure à chaudes larmes, la mousse fraîche et fleurie qu'il ne peut atteindre. »

Le comte Oluf de Lodbrog, car tel est son titre depuis que le vieux comte est mort, part sur son bon cheval, accompagné de ses deux chiens géants, Murg et Fenris, car le jeune seigneur aux paupières couleur d'orange a un rendez-vous, et déjà peut-être, du haut de la petite tourelle aiguë en forme de poivrière[1], se penche sur le balcon sculpté, malgré le froid et la bise, la jeune fille inquiète, cherchant à démêler dans la blancheur de la plaine le panache du chevalier.

Oluf, sur son grand cheval à formes d'éléphant, dont il laboure les flancs à coups d'éperon, s'avance dans la cam-

notes

1. poivrière : tourelle à toit conique placée à l'angle d'un bâtiment.

pagne ; il traverse le lac, dont le froid n'a fait qu'un seul bloc de glace, où les poissons sont enchâssés[1], les nageoires étendues, comme des pétrifications dans la pâte du marbre ; les quatre fers du cheval, armés de crochets, mordent solidement la dure surface ; un brouillard, produit par sa sueur et sa respiration, l'enveloppe et le suit ; on dirait qu'il galope dans un nuage ; les deux chiens, Murg et Fenris, soufflent, de chaque côté de leur maître, par leurs naseaux sanglants, de longs jets de fumée comme des animaux fabuleux.

Voici le bois de sapins ; pareils à des spectres, ils étendent leurs bras appesantis chargés de nappes blanches ; le poids de la neige courbe les plus jeunes et les plus flexibles : on dirait une suite d'arceaux d'argent. La noire terreur habite dans cette forêt, où les rochers affectent des formes monstrueuses, où chaque arbre, avec ses racines, semble couver à ses pieds un nid de dragons engourdis. Mais Oluf ne connaît pas la terreur.

Le chemin se resserre de plus en plus, les sapins croisent inextricablement leurs branches lamentables ; à peine de rares éclaircies permettent-elles de voir la chaîne de collines neigeuses qui se détachent en blanches ondulations sur le ciel noir et terne.

Heureusement Mopse est un vigoureux coursier qui porterait sans plier Odin[2] le gigantesque ; nul obstacle ne l'arrête ; il saute par-dessus les rochers, il enjambe les fondrières, et de temps en temps il arrache aux cailloux que son sabot heurte sous la neige une aigrette d'étincelles aussitôt éteintes.

notes

1. enchâssés : enfermés, sertis.

2. Odin : principal dieu de la mythologie germanique, dieu de la guerre, de l'écriture runique et de la poésie.

« Allons, Mopse, courage ! tu n'as plus à traverser que la
235 petite plaine et le bois de bouleaux ; une jolie main caressera ton col satiné, et dans une écurie bien chaude tu mangeras de l'orge mondée[1] et de l'avoine à pleine mesure. »

Quel charmant spectacle que le bois de bouleaux ! toutes les branches sont ouatées d'une peluche de givre, les plus
240 petites brindilles se dessinent en blanc sur l'obscurité de l'atmosphère : on dirait une immense corbeille de filigrane[2], un madrépore[3] d'argent, une grotte avec tous ses stalactites ; les ramifications et les fleurs bizarres dont la gelée étame[4] les vitres n'offrent pas des dessins plus compliqués et plus variés.

245 « Seigneur Oluf, que vous avez tardé ! j'avais peur que l'ours de la montagne vous eût barré le chemin ou que les elfes vous eussent invité à danser, dit la jeune châtelaine en faisant asseoir Oluf sur le fauteuil de chêne dans l'intérieur de la cheminée. Mais pourquoi êtes-vous venu au rendez-
250 vous d'amour avec un compagnon ? Aviez-vous donc peur de passer tout seul par la forêt ?

– De quel compagnon voulez-vous parler, fleur de mon âme ? dit Oluf très surpris à la jeune châtelaine.

– Du chevalier à l'étoile rouge que vous menez toujours
255 avec vous. Celui qui est né d'un regard du chanteur bohémien, l'esprit funeste qui vous possède ; défaites-vous du chevalier à l'étoile rouge, ou je n'écouterai jamais vos propos d'amour ; je ne puis être la femme de deux hommes à la fois. »

260 Oluf eut beau faire et beau dire, il ne put seulement parvenir à baiser le petit doigt rose de la main de Brenda ; il

notes

1. *mondée* : nettoyée.

2. *filigrane* : ornement de fils d'or, d'argent et de verre entrelacés.

3. *madrépore* : corail des mers chaudes.

4. *étame* : couvre d'une pellicule opaque et brillante.

s'en alla fort mécontent et résolu à combattre le chevalier à l'étoile rouge s'il pouvait le rencontrer.

Malgré l'accueil sévère de Brenda, Oluf reprit le lende-
265 main la route du château à tourelles en forme de poivrière : les amoureux ne se rebutent pas aisément.

Tout en cheminant il se disait : « Brenda sans doute est folle ; et que veut-elle dire avec son chevalier à l'étoile rouge ? »

270 La tempête était des plus violentes ; la neige tourbillonnait et permettait à peine de distinguer la terre du ciel. Une spirale de corbeaux, malgré les abois de Fenris et de Murg, qui sautaient en l'air pour les saisir, tournoyait sinistrement au-dessus du panache d'Oluf. À leur tête était le corbeau
275 luisant comme le jais qui battait la mesure sur l'épaule du chanteur bohémien.

Fenris et Murg s'arrêtent subitement : leurs naseaux mobiles hument l'air avec inquiétude ; ils subodorent la présence d'un ennemi. – Ce n'est point un loup ni un renard ;
280 un loup et un renard ne seraient qu'une bouchée pour ces braves chiens.

Un bruit de pas se fait entendre, et bientôt paraît au détour du chemin un chevalier monté sur un cheval de grande taille et suivi de deux chiens énormes.

285 Vous l'auriez pris pour Oluf. Il était armé exactement de même, avec un surcot[1] historié[2] du même blason[3] ; seulement il portait sur son casque une plume rouge au lieu d'une verte. La route était si étroite qu'il fallait que l'un des deux chevaliers reculât.

notes

1. surcot : vêtement du Moyen Âge, porté sur la cotte de mailles.

2. historié : décoré, orné.

3. blason : emblème nobiliaire.

Le combat de deux chevaliers, enluminure d'un manuscrit.

290 « Seigneur Oluf, reculez-vous pour que je passe, dit le chevalier à la visière baissée. Le voyage que je fais est un long voyage ; on m'attend, il faut que j'arrive.

– Par la moustache de mon père, c'est vous qui reculerez. Je vais à un rendez-vous d'amour, et les amoureux sont 295 pressés », répondit Oluf en portant la main sur la garde de son épée.

L'inconnu tira la sienne, et le combat commença. Les épées, en tombant sur les mailles d'acier, en faisaient jaillir des gerbes d'étincelles pétillantes ; bientôt, quoique d'une 300 trempe[1] supérieure, elles furent ébréchées comme des scies. On eût pris les combattants, à travers la fumée de leurs

notes

1. trempe : qualité.

chevaux et la brume de leur respiration haletante, pour deux noirs forgerons acharnés sur un fer rouge. Les chevaux, animés de la même rage que leurs maîtres, mordaient à belles dents leurs cous veineux, et s'enlevaient des lambeaux de poitrail ; ils s'agitaient avec des soubresauts furieux, se dressaient sur leurs pieds de derrière, et se servant de leurs sabots comme de poings fermés, ils se portaient des coups terribles pendant que leurs cavaliers se martelaient affreusement par-dessus leurs têtes ; les chiens n'étaient qu'une morsure et qu'un hurlement.

Les gouttes de sang, suintant à travers les écailles imbriquées des armures et tombant toutes tièdes sur la neige, y faisaient de petits trous roses. Au bout de peu d'instants l'on aurait dit un crible[1], tant les gouttes tombaient fréquentes et pressées. Les deux chevaliers étaient blessés.

Chose étrange, Oluf sentait les coups qu'il portait au chevalier inconnu ; il souffrait des blessures qu'il faisait et de celles qu'il recevait : il avait éprouvé un grand froid dans la poitrine, comme d'un fer qui entrerait et chercherait le cœur, et pourtant sa cuirasse n'était pas faussée à l'endroit du cœur : sa seule blessure était un coup dans les chairs au bras droit. Singulier duel, où le vainqueur souffrait autant que le vaincu, où donner et recevoir était une chose indifférente.

Ramassant ses forces, Oluf fit voler d'un revers le terrible heaume[2] de son adversaire. – Ô terreur ! que vit le fils d'Edwige et de Lodbrog ? il se vit lui-même devant lui : un miroir eût été moins exact. Il s'était battu avec son propre spectre[3], avec le chevalier à l'étoile rouge ; le spectre jeta un grand cri et disparut.

notes

1. crible : tamis, passoire.

2. heaume : casque d'armure protégeant le visage.

3. spectre : fantôme.

La spirale de corbeaux remonta dans le ciel et le brave Oluf continua son chemin ; en revenant le soir à son château, il portait en croupe la jeune châtelaine, qui cette fois avait bien voulu l'écouter. Le chevalier à l'étoile rouge n'étant plus là, elle s'était décidée à laisser tomber de ses lèvres de rose, sur le cœur d'Oluf, cet aveu qui coûte tant à la pudeur. La nuit était claire et bleue, Oluf leva la tête pour chercher sa double étoile et la faire voir à sa fiancée : il n'y avait plus que la verte, la rouge avait disparu.

En entrant, Brenda, tout heureuse de ce prodige qu'elle attribuait à l'amour, fit remarquer au jeune Oluf que le jais de ses yeux s'était changé en azur[1], signe de réconciliation céleste. – Le vieux Lodbrog en sourit d'aise sous sa moustache blanche au fond de son tombeau ; car, à vrai dire, quoiqu'il n'en eût rien témoigné, les yeux d'Oluf l'avaient quelquefois fait réfléchir. – L'ombre d'Edwige est toute joyeuse, car l'enfant du noble seigneur Lodbrog a enfin vaincu l'influence maligne[2] de l'œil orange, du corbeau noir et de l'étoile rouge : l'homme a terrassé l'incube[3].

Cette histoire montre comme un seul moment d'oubli, un regard même innocent, peuvent avoir d'influence.

Jeunes femmes, ne jetez jamais les yeux sur les maîtres chanteurs de Bohême, qui récitent des poésies enivrantes et diaboliques. Vous, jeunes filles, ne vous fiez qu'à l'étoile verte ; et vous qui avez le malheur d'être double, combattez bravement, quand même vous devriez frapper sur vous et vous blesser de votre propre épée, l'adversaire intérieur, le méchant chevalier.

notes

1. azur : bleu clair.

2. influence maligne : influence diabolique.

3. incube : démon masculin.

Si vous demandez qui nous a apporté cette légende de 360 Norvège, c'est un cygne ; un bel oiseau au bec jaune, qui a traversé le fjord[1], moitié nageant, moitié volant.

Pierre tombale de Jean V, duc de Bretagne, se trouvant à la cathédrale de Nantes.

notes

1. fjord : golfe s'enfonçant dans l'intérieur des terres.

Au fil du texte

Questions sur l'accession à l'âge adulte d'Oluf (pages 61 à 69)

Avez-vous bien lu ?

1. Contre qui Oluf se bat-il après son départ du château de Brenda ?

☐ Odin ☐ un monstre ☐ lui-même

2. Après la bataille, que découvre Oluf dans le ciel lorsqu'il revient chercher Brenda ?

3. Pour quelle raison Brenda repart-elle avec Oluf cette fois-ci ?

4. De quel pays vient cette histoire ?

Étudier le vocabulaire et la grammaire

5. Que signifie la formule *« cet aveu qui coûte tant à la pudeur »* (l. 336-337) ? Comment se justifie l'emploi de cette litote* ?

6. Le récit se termine par l'énoncé d'une morale, qui donne le sens de l'histoire (l. 350 à 358). Quelles sont les valeurs des temps verbaux employés ?

Étudier le discours

7. Lignes 346 à 349 : quels indices permettent d'affirmer que le narrateur a un point de vue* omniscient ? A-t-il utilisé ce même point de vue depuis le début du récit ?

litote : **expression qui dit moins pour en faire entendre plus, atténuation.**

point de vue : **manière dont le narrateur se situe par rapport à son récit. Le point de vue (ou focalisation) peut être interne (récit raconté à travers les yeux d'un des personnages, externe (le narrateur est un témoin extérieur) ou omniscient (le narrateur voit tout et sait tout).**

Étudier le genre : le récit allégorique ou parabole

8. Après avoir lu la totalité de l'histoire, dites en quoi ce récit apparaît comme une allégorie* ou une parabole*, en analysant la valeur symbolique de ses différentes composantes. Pour chaque élément, identifiez les indices qui préparent à la morale finale.
a) La blonde Edwige a-t-elle commis une faute ?
b) Que symbolise le dédoublement d'Oluf ?
c) Que symbolise le combat entre les deux chevaliers ?
d) Que symbolisent la confiance et la satisfaction finale du père d'Oluf ?

récit allégorique ou parabole : **récit ayant un sens symbolique évident et clairement indiqué, par exemple par une morale finale, et dont le sens littéral passe au second plan.**

poncif : **lieu commun, thème littéraire tellement imité qu'il a perdu toute originalité.**

Étudier un thème : l'imagerie nordique

9. Les lignes 160 à 166 développent un poncif* : l'opposition des *« vierges du Nord »* aux *« filles d'Italie »*.
a) Quels sont les termes de l'opposition (couleurs, attitude, objets de comparaison) des deux types de femmes ?
b) Que symbolisent donc le Nord et le Sud ?
c) Quel est l'apport de l'imagerie nordique à ce récit ?

À vos plumes !

10. À partir des éléments de conte suivants, rédigez deux courts récits illustrant deux morales :
« Rien ne sert de se disputer, mieux vaut partager », et
« On ne peut louer le courage du lion qui effraie la colombe ».
a) Plusieurs personnages : *une petite fille, un grand garçon, une colombe, un lion.*
b) Des objets : *un gâteau, une bicyclette.*
c) Des lieux : *un jardin public, le bord d'un étang, l'ombre d'un arbre, une forêt.*

Le Pied de momie

J'étais entré par désœuvrement chez un de ces marchands de curiosités dits marchands de bric-à-brac dans l'argot parisien, si parfaitement inintelligible pour le reste de la France.

Vous avez sans doute jeté l'œil, à travers le carreau, dans quelques-unes de ces boutiques devenues si nombreuses depuis qu'il est de mode d'acheter des meubles anciens, et que le moindre agent de change se croit obligé d'avoir sa *chambre* Moyen Âge.

C'est quelque chose qui tient à la fois de la boutique du ferrailleur, du magasin du tapissier, du laboratoire de l'alchimiste[1] et de l'atelier du peintre ; dans ces antres mystérieux où les volets filtrent un prudent demi-jour, ce

notes

1. alchimiste : magicien qui cherchait la pierre philosophale, permettant de transformer le plomb en or.

qu'il y a de plus notoirement ancien, c'est la poussière ; les
15 toiles d'araignées y sont plus authentiques que les guipures[1], et le vieux poirier[2] y est plus jeune que l'acajou arrivé hier d'Amérique.

Le magasin de mon marchand de bric-à-brac était un véritable Capharnaüm[3] ; tous les siècles et tous les pays
20 semblaient s'y être donné rendez-vous ; une lampe étrusque[4] de terre rouge posait sur une armoire de Boulle[5], aux panneaux d'ébène[6] sévèrement rayés de filaments de cuivre ; une duchesse du temps de Louis XV[7] allongeait nonchalamment ses pieds de biche sous une épaisse table du
25 règne de Louis XIII[8], aux lourdes spirales de bois de chêne, aux sculptures entremêlées de feuillages et de chimères[9].

Une armure damasquinée[10] de Milan faisait miroiter dans un coin le ventre rubané de sa cuirasse ; des amours[11] et des nymphes[12] de biscuit[13], des magots[14] de la Chine,
30 des cornets de céladon[15] et de craquelé[16], des tasses de

notes

1. guipures : dentelles ajourées à larges motifs.

2. poirier : bois clair.

3. Capharnaüm : ville de Galilée où Jésus attira la foule. Se dit d'un lieu qui renferme beaucoup d'objets en désordre.

4. étrusque : de l'Étrurie, région de l'Italie ancienne. Se disait, au XIXe siècle, des antiquités trouvées en Italie.

5. Boulle : André Charles Boulle (1642-1732), ébéniste qui a laissé son nom aux meubles marquetés et richement ornementés de bronzes, d'écaille et de cuivres.

6. ébène : bois exotique de couleur noire.

7. Louis XV : roi de France né en 1710 et dont le règne s'étend de 1715 à 1774.

8. Louis XIII : roi de France né en 1601 et dont le règne s'étend de 1610 à 1643.

9. chimères : monstres mythologiques et fabuleux composés d'éléments de plusieurs animaux.

10. damasquinée : ornée de dessins composés de fils d'or, d'argent ou de cuivre incrustés.

11. amours : angelots nus et munis d'un arc qui représentent l'amour.

12. nymphes : représentations d'une jeune femme nue ou demi-nue. Dans la mythologie, les Nymphes sont des déesses de second rang qui hantaient les bois, les rivières, les océans.

13. biscuit : porcelaine blanche non émaillée qui imite l'aspect du marbre.

14. magots : figurines chinoises.

15. céladon : vert pâle.

16. craquelé : émail finement fissuré.

Saxe et de vieux Sèvres[1] encombraient les étagères et les encoignures[2].

Sur les tablettes denticulées[3] des dressoirs[4], rayonnaient d'immenses plats du Japon, aux dessins rouges et bleus, rele-
35 vés de hachures d'or, côte à côte avec des émaux de Bernard Palissy[5], représentant des couleuvres, des grenouilles et des lézards en relief.

Des armoires éventrées s'échappaient des cascades de lampas[6] glacé d'argent, des flots de brocatelle[7] criblée de
40 grains lumineux par un oblique rayon de soleil ; des portraits de toutes les époques souriaient à travers leur vernis jaune dans des cadres plus ou moins fanés.

Le marchand me suivait avec précaution dans le tortueux passage pratiqué entre les piles de meubles, abattant de la
45 main l'essor hasardeux des basques[8] de mon habit, surveillant mes coudes avec l'attention inquiète de l'antiquaire et de l'usurier.

C'était une singulière figure que celle du marchand : un crâne immense, poli comme un genou, entouré d'une
50 maigre auréole de cheveux blancs que faisait ressortir plus vivement le ton saumon clair de la peau, lui donnait un faux air de bonhomie patriarcale, corrigée, du reste, par le scintillement de deux petits yeux jaunes qui tremblotaient dans

notes

1. Saxe et Sèvres : types de porcelaine qui ont pris le nom de l'endroit où on les fabrique (la Saxe est une région allemande, Sèvres une ville française).

2. encoignures : étagères ou meubles de forme triangulaire qu'on installe dans les coins.

3. denticulées : garnies d'ornements en forme de dents.

4. dressoirs : meubles où l'on expose le service de table.

5. Bernard Palissy : (vers 1510-1589 ou 1590) céramiste et savant, il a découvert le secret de la composition des émaux.

6. lampas : tissu de soie à grands motifs en relief.

7. brocatelle : tissu imitant le brocart, qui est un riche tissu de soie à motifs brodés en fil d'or et d'argent.

8. abattant de la main l'essor hasardeux des basques : surveillant les pans de mon habit pour qu'ils ne cassent rien.

***L'Antiquaire*. Lithographie d'après une peinture de Renoux, vers 1830. Paris, bibl. des Arts décoratifs.**

leur orbite comme deux louis d'or sur du vif-argent[1]. La
55 courbure du nez avait une silhouette aquiline[2] qui rappelait
le type oriental ou juif. Ses mains, maigres, fluettes, veinées,
pleines de nerfs en saillie comme les cordes d'un manche à
violon, onglées de griffes semblables à celles qui terminent
les ailes membraneuses des chauves-souris, avaient un mou-
60 vement d'oscillation sénile, inquiétant à voir ; mais ces mains
agitées de tics fiévreux devenaient plus fermes que des
tenailles d'acier ou des pinces de homard dès qu'elles soule-
vaient quelque objet précieux, une coupe d'onyx[3], un verre
de Venise ou un plateau de cristal de Bohême[4] ; ce vieux
65 drôle avait un air si profondément rabbinique et cabalistique[5] qu'on l'eût brûlé sur la mine, il y a trois siècles.

« Ne m'achèterez-vous rien aujourd'hui, monsieur ? Voilà
un kriss[6] malais dont la lame ondule comme une flamme ;
regardez ces rainures pour égoutter le sang, ces dentelures
70 pratiquées en sens inverse pour arracher les entrailles en reti-
rant le poignard ; c'est une arme féroce, d'un beau caractère
et qui ferait très bien dans votre trophée[7] ; cette épée à deux
mains est très belle, elle est de Josepe de la Hera[8], et cette
cauchelimarde à coquille fenestrée[9], quel superbe travail !

75 – Non, j'ai assez d'armes et d'instruments de carnage ; je
voudrais une figurine, un objet quelconque qui pût me

notes

1. *vif-argent* : ancien nom du mercure, métal liquide et brillant. Se dit de ce qui brille et se déplace si vite qu'il est insaisissable comme le mercure.

2. *aquiline* : busquée et assez fine.

3. *onyx* : pierre translucide comportant des cercles de diverses couleurs.

4. *Bohême* : région située à l'ouest de la République tchèque.

5. *cabalistique* : de la Cabale, tradition juive donnant une interprétation mystique de l'Ancien Testament. Se dit aussi de pratiques magiques.

6. *kriss* : poignard à lame ondulée.

7. *trophée* : sorte de panoplie d'armes.

8. *Josepe de la Hera* : armurier de Tolède.

9. *cauchelimarde à coquille fenestrée* : lourde épée à poignée ajourée.

servir de serre-papier, car je ne puis souffrir tous ces bronzes de pacotille que vendent les papetiers, et qu'on retrouve invariablement sur tous les bureaux. »

80 Le vieux gnome, furetant dans ses vieilleries, étala devant moi des bronzes antiques ou soi-disant tels, des morceaux de malachite[1], de petites idoles indoues ou chinoises, espèce de poussahs[2] de jade, incarnation de Brahma ou de Wishnou[3] merveilleusement propre à cet usage, assez peu divin, de 85 tenir en place des journaux et des lettres.

J'hésitais entre un dragon de porcelaine tout constellé de verrues, la gueule ornée de crocs et de barbelures, et un petit fétiche mexicain fort abominable, représentant au naturel le dieu Witziliputzili[4], quand j'aperçus un pied charmant que 90 je pris d'abord pour un fragment de Vénus antique.

Il avait ces belles teintes fauves et rousses qui donnent au bronze florentin cet aspect chaud et vivace, si préférable au ton vert-de-grisé des bronzes ordinaires qu'on prendrait volontiers pour des statues en putréfaction : des luisants 95 satinés frissonnaient sur ses formes rondes et polies par les baisers amoureux de vingt siècles ; car ce devait être un airain[5] de Corinthe, un ouvrage du meilleur temps, peut-être une fonte de Lysippe[6] !

« Ce pied fera mon affaire », dis-je au marchand, qui me 100 regarda d'un air ironique et sournois en me tendant l'objet demandé pour que je pusse l'examiner plus à mon aise.

Je fus surpris de sa légèreté ; ce n'était pas un pied de métal, mais bien un pied de chair, un pied embaumé, un

notes

1. *malachite* : pierre d'un vert diapré.

2. *poussahs* : bouddhas assis en tailleur.

3. *Brahma, Wishnou* : divinités indoues. Brahma (ou Brahmâ) a quatre faces et quatre bras. Vishnou (ou Wishnou) a quatre bras.

4. *Witziliputzili* : dieu de la guerre chez les Aztèques.

5. *airain* : ancien nom du bronze.

6. *Lysippe* : sculpteur grec du IVe siècle avant J.-C.

pied de momie : en regardant de près, l'on pouvait distin-
105 guer le grain de la peau et la gaufrure presque imperceptible imprimée par la trame des bandelettes. Les doigts étaient fins, délicats, terminés par des ongles parfaits, purs et transparents comme des agathes[1] ; le pouce, un peu séparé, contrariait heureusement le plan des autres doigts à la
110 manière antique, et lui donnait une attitude dégagée, une sveltesse de pied d'oiseau ; la plante, à peine rayée de quelques hachures invisibles, montrait qu'elle n'avait jamais touché la terre, et ne s'était trouvée en contact qu'avec les plus fines nattes de roseaux du Nil et les plus moelleux tapis
115 de peaux de panthères.

« Ha ! ha ! vous voulez le pied de la princesse Hermonthis[2], dit le marchand avec un ricanement étrange, en fixant sur moi ses yeux de hibou : ha ! ha ! ha ! pour un serre-papier ! idée originale, idée d'artiste ; qui aurait dit au
120 vieux Pharaon que le pied de sa fille adorée servirait de serre-papier l'aurait bien surpris, lorsqu'il faisait creuser une montagne de granit pour y mettre le triple cercueil peint et doré, tout couvert d'hiéroglyphes avec de belles peintures du jugement des âmes, ajouta à demi-voix et comme se parlant
125 à lui-même le petit marchand singulier.

– Combien me vendrez-vous ce fragment de momie ?

– Ah ! le plus cher que je pourrai, car c'est un morceau superbe ; si j'avais le pendant, vous ne l'auriez pas à moins de cinq cents francs : la fille d'un Pharaon, rien n'est plus rare.

130 – Assurément cela n'est pas commun ; mais enfin combien en voulez-vous ? D'abord je vous avertis d'une

notes

1. agathes : pierres transparentes et teintées (s'écrit aujourd'hui « agate », sans h).

2. Hermonthis : ville d'Égypte, proche de Thèbes, qui donne son nom à la princesse inventée par Gautier.

chose, c'est que je ne possède pour trésor que cinq louis[1] ; – j'achèterai tout ce qui coûtera cinq louis, mais rien de plus.

Vous scruteriez les arrière-poches de mes gilets, et mes tiroirs les plus intimes, que vous n'y trouveriez pas seulement un misérable tigre à cinq griffes.

– Cinq louis le pied de la princesse Hermonthis, c'est bien peu, très peu en vérité, un pied authentique, dit le marchand en hochant la tête et en imprimant à ses prunelles un mouvement rotatoire.

Allons, prenez-le, et je vous donne l'enveloppe par-dessus le marché, ajouta-t-il en le roulant dans un vieux lambeau de damas[2] ; très beau, damas véritable, damas des Indes, qui n'a jamais été reteint ; c'est fort, c'est mœlleux », marmottait-il en promenant ses doigts sur le tissu éraillé par un reste d'habitude commerciale qui lui faisait vanter un objet de si peu de valeur qu'il le jugeait lui-même digne d'être donné.

Il coula les pièces d'or dans une espèce d'aumônière[3] du Moyen Âge pendant à sa ceinture, en répétant :

« Le pied de la princesse Hermonthis servir de serre-papier ! »

Puis, arrêtant sur moi ses prunelles phosphoriques, il me dit avec une voix stridente comme le miaulement d'un chat qui vient d'avaler une arête :

« Le vieux Pharaon ne sera pas content, il aimait sa fille, ce cher homme.

– Vous en parlez comme si vous étiez son contemporain ; quoique vieux, vous ne remontez cependant pas aux pyramides d'Égypte », lui répondis-je en riant du seuil de la boutique.

Je rentrai chez moi fort content de mon acquisition.

notes

1. *louis* : pièce d'or de vingt francs.

2. *damas* : étoffe tissée et réversible, les dessins brillants sur l'endroit deviennent mats sur l'envers.

3. *aumônière* : bourse de ceinture.

Au fil du texte

Questions sur le début du récit (pages 72 à 79)

Avez-vous bien lu ?

1. Qui semble s'être donné rendez-vous dans le magasin de bric-à-brac ?

2. Que propose le marchand au narrateur ?

3. Quel type d'objet cherche le narrateur ?

4. Avec quoi repart-il finalement ?

5. Le vieux marchand parle du Pharaon :
☐ comme s'il avait vécu à son époque.
☐ comme d'un personnage historique.
☐ comme d'un objet qu'il cherche à vendre.

pproximations ıccessives : ıit de désigner e dont on parle l'aide de lusieurs termes ui ne sont pas ynonymes, aute de mieux, ar aucun terme 'est tout à fait xact.

ntonomase : mployer un om commun omme un nom ropre, et nversement.

Étudier le vocabulaire et la grammaire

6. Lignes 10 à 13 : quelle idée le narrateur veut-il donner de la boutique en la caractérisant par approximations successives* ?

7. Gautier écrit *« Capharnaüm »* (l. 19) avec une majuscule, comme un nom propre.
a) Dans quelle mesure ce nom est-il employé comme un nom commun ?
b) À partir de son sens (*cf.* note 3, p. 73), dites ce que l'emploi de ce terme avec une majuscule ajoute à la description.
c) Citez d'autres exemples de noms propres devenus des noms communs par antonomase*.

ÉTUDIER LE DISCOURS

8. Lignes 5 à 9 : quel procédé le narrateur emploie-t-il pour impliquer le lecteur dans le récit et le pousser à s'identifier à lui ?
☐ une dédicace ☐ une apostrophe ☐ une description

9. Lignes 43 à 47 : quel détail permet d'affirmer que la boutique est vue à travers le regard du narrateur, selon un point de vue interne* ?

ÉTUDIER LE GENRE : LA NOUVELLE FANTASTIQUE

10. Dans le fantastique, le narrateur cherche souvent à provoquer la crainte chez le lecteur. Dans ce début de récit, le marchand est un personnage inquiétant car il rappelle le diable. Identifiez les caractéristiques diaboliques que lui prête le narrateur :
a) traits physiques : ...... *b)* attitudes : ......

11. Le marchand est surpris par le choix du narrateur du pied de momie comme *« serre-papier »*. En quoi ses explications (l. 116 à 125) introduisent-elles un élément de fantastique ?

12. La remarque finale du marchand provoque l'hilarité du narrateur (l. 158). Quel sentiment fait-elle éprouver au lecteur ?

point de vue (ou focalisation) interne : **se dit lorsque le narrateur raconte l'histoire comme si elle était vue à travers le regard de l'un des personnages, qui peut être lui-même.**

symbole : **objet qui représente une idée ; par exemple, la colombe est le symbole de la paix.**

ÉTUDIER L'ÉCRITURE : LA DESCRIPTION

13. *« Tous les siècles et tous les pays »* se sont donné rendez-vous dans la boutique. Dans la description (l. 20 à 42), cherchez un symbole* :
– de la Régence : ....
– du règne de Louis XIII : ....

– de toutes les époques : ....
– de l'Antiquité romaine : ....
– de Milan (ville d'Italie) : ....
– de la Chine : ....
– de l'Allemagne : ....
– du Japon : ....

14. Compte tenu du titre du conte, quels sont l'époque et le pays manquant à cette description ? Comment expliquer cette omission volontaire ?

ÉTUDIER UN THÈME : L'ÉTUDE ET LE GOÛT DE L'ANTIQUE

15. Lorsque le narrateur aperçoit le pied (l. 89 à 98), pour quoi le prend-il au début et quelles sont les caractéristiques qui retiennent d'abord son attention ?

16. Cherchez dans un dictionnaire le sens du mot *« archéologie »*. Montrez que le raisonnement du narrateur au moment où il se saisit du pied (l. 102 à 115) est comparable à celui que pourrait faire un archéologue découvrant un vestige.

LIRE L'IMAGE

17. En quoi la boutique de l'antiquaire présentée page 75 diffère-t-elle de celle décrite dans *Le Pied de momie* ?

18. Selon vous, qui est l'antiquaire de la gravure ?

À VOS PLUMES !

19. Vous avez trouvé un objet curieux. Décrivez-le comme le narrateur décrit le pied de momie : en déduisant de ses caractéristiques des indications sur la personnalité de son propriétaire.

160 Pour la mettre tout de suite à profit, je posai le pied de la divine princesse Hermonthis sur une liasse de papier, ébauche de vers, mosaïque indéchiffrable de ratures : articles commencés, lettres oubliées et mises à la poste dans le tiroir, erreur qui arrive souvent aux gens distraits ; l'effet était char-165 mant, bizarre et romantique.

Très satisfait de cet embellissement, je descendis dans la rue, et j'allai me promener avec la gravité convenable et la fierté d'un homme qui a sur tous les passants qu'il coudoie l'avantage ineffable de posséder un morceau de la princesse 170 Hermonthis, fille de Pharaon.

Je trouvai souverainement ridicules tous ceux qui ne possédaient pas, comme moi, un serre-papier aussi notoirement égyptien ; et la vraie occupation d'un homme sensé me paraissait d'avoir un pied de momie sur son bureau.

175 Heureusement la rencontre de quelques amis vint me distraire de mon engouement[1] de récent acquéreur ; je m'en allai dîner avec eux, car il m'eût été difficile de dîner avec moi.

Quand je revins le soir, le cerveau marbré de quelques 180 veines de gris de perle[2], une vague bouffée de parfum oriental me chatouilla délicatement l'appareil olfactif[3] ; la chaleur de la chambre avait attiédi le natrum, le bitume et la myrrhe[4] dans lesquels les *paraschites*[5] inciseurs de cadavres avaient baigné le corps de la princesse ; c'était un parfum 185 doux quoique pénétrant, un parfum que quatre mille ans n'avaient pu faire évaporer.

notes

1. engouement : emballement, toquade.

2. le cerveau marbré* [...] *perle : légèrement ivre.

3. l'appareil olfactif : le nez.

4. natrum, bitume, myrrhe : substances employées pour embaumer les momies et en garantir la conservation.

5. paraschites : embaumeurs chargés d'enlever les viscères.

Le rêve de l'Égypte était l'éternité : ses odeurs ont la solidité du granit, et durent autant.

Je bus bientôt à pleines gorgées dans la coupe noire du 190 sommeil ; pendant une heure ou deux tout resta opaque, l'oubli et le néant m'inondaient de leurs vagues sombres.

Cependant mon obscurité intellectuelle s'éclaira, les songes commencèrent à m'effleurer de leur vol silencieux.

Les yeux de mon âme s'ouvrirent, et je vis ma chambre 195 telle qu'elle était effectivement : j'aurais pu me croire éveillé, mais une vague perception me disait que je dormais et qu'il allait se passer quelque chose de bizarre.

L'odeur de la myrrhe avait augmenté d'intensité, et je sentais un léger mal de tête que j'attribuais fort raisonnable-200 ment à quelques verres de vin de Champagne que nous avions bus aux dieux inconnus et à nos succès futurs.

Je regardais dans ma chambre avec un sentiment d'attente que rien ne justifiait ; les meubles étaient parfaitement en place, la lampe brûlait sur la console, doucement estompée 205 par la blancheur laiteuse de son globe de cristal dépoli ; les aquarelles miroitaient sous leur verre de Bohême ; les rideaux pendaient languissamment : tout avait l'air endormi et tranquille.

Cependant, au bout de quelques instants, cet intérieur si 210 calme parut se troubler, les boiseries craquaient furtivement ; la bûche enfouie sous la cendre lançait tout à coup un jet de gaz bleu, et les disques des patères[1] semblaient des yeux de métal attentifs comme moi aux choses qui allaient se passer.

notes

1. patères : ornements d'architecture en forme de rosace.

215 Ma vue se porta par hasard vers la table sur laquelle j'avais posé le pied de la princesse Hermonthis.

Au lieu d'être immobile comme il convient à un pied embaumé depuis quatre mille ans, il s'agitait, se contractait et sautillait sur les papiers comme une grenouille effarée : on 220 l'aurait cru en contact avec une pile voltaïque[1] ; j'entendais fort distinctement le bruit sec que produisait son petit talon, dur comme un sabot de gazelle.

J'étais assez mécontent de mon acquisition, aimant les serre-papiers sédentaires et trouvant peu naturel de voir les 225 pieds se promener sans jambes, et je commençais à éprouver quelque chose qui ressemblait fort à de la frayeur.

Tout à coup je vis remuer le pli d'un de mes rideaux, et j'entendis un piétinement comme d'une personne qui sauterait à cloche-pied. Je dois avouer que j'eus chaud et 230 froid alternativement ; que je sentis un vent inconnu me souffler dans le dos, et que mes cheveux firent sauter, en se redressant, ma coiffure de nuit à deux ou trois pas.

Les rideaux s'entrouvrirent, et je vis s'avancer la figure la plus étrange qu'on puisse imaginer.

235 C'était une jeune fille, café au lait très foncé, comme la bayadère Amani[2], d'une beauté parfaite et rappelant le type égyptien le plus pur ; elle avait des yeux taillés en amande avec des coins relevés et des sourcils tellement noirs qu'ils paraissaient bleus, son nez était d'une coupe délicate, presque 240 grecque pour la finesse, et l'on aurait pu la prendre pour une statue de bronze de Corinthe, si la proéminence des pommettes et l'épanouissement un peu africain de la bouche

notes

1. *pile voltaïque* : se dit de la pile de Volta, physicien italien inventeur de la pile électrique en 1800.

2. *bayadère Amani* : danseuse hindoue venue à Paris en 1838.

n'eussent fait reconnaître, à n'en pas douter, la race hiéroglyphique des bords du Nil.

245 Ses bras minces et tournés en fuseau, comme ceux des très jeunes filles, étaient cerclés d'espèces d'emprises de métal et de tours de verroterie ; ses cheveux étaient nattés en cordelettes, et sur sa poitrine pendait une idole en pâte verte que son fouet à sept branches faisait reconnaître pour l'Isis[1],
250 conductrice des âmes ; une plaque d'or scintillait à son front, et quelques traces de fard perçaient sous les teintes de cuivre de ses joues.

Quant à son costume il était très étrange.

Figurez-vous un pagne de bandelettes chamarrées[2]
255 d'hiéroglyphes noirs et rouges, empesés de bitume et qui semblaient appartenir à une momie fraîchement démaillotée.

Par un de ces sauts de pensée si fréquents dans les rêves, j'entendis la voix fausse et enrouée du marchand de bric-à-brac, qui répétait, comme un refrain monotone, la phrase
260 qu'il avait dite dans sa boutique avec une intonation si énigmatique :

« Le vieux Pharaon ne sera pas content ; il aimait beaucoup sa fille, ce cher homme. »

Particularité étrange et qui ne me rassura guère, l'apparition
265 n'avait qu'un seul pied, l'autre jambe était rompue à la cheville.

Elle se dirigea vers la table où le pied de momie s'agitait et frétillait avec un redoublement de vitesse. Arrivée là, elle s'appuya sur le rebord, et je vis une larme germer et perler
270 dans ses yeux.

notes

1. Isis : épouse d'Osiris, principale divinité du culte égyptien.

2. chamarrées : rehaussées d'ornements aux couleurs très vives.

Quoiqu'elle ne parlât pas, je discernais clairement sa pensée : elle regardait le pied, car c'était bien le sien, avec une expression de tristesse coquette d'une grâce infinie ; mais le pied sautait et courait çà et là comme s'il eût été poussé par des ressorts d'acier.

Deux ou trois fois elle étendit sa main pour le saisir, mais elle n'y réussit pas.

Alors il s'établit entre la princesse Hermonthis et son pied, qui paraissait doué d'une vie à part, un dialogue très bizarre dans un cophte[1] très ancien, tel qu'on pouvait le parler, il y a une trentaine de siècles, dans les syringes[2] du pays de Ser[3] ; heureusement que cette nuit-là je savais le cophte en perfection.

La princesse Hermonthis disait d'un ton de voix doux et vibrant comme une clochette de cristal :

« Eh bien ! mon cher petit pied, vous me fuyez toujours, j'avais pourtant bien soin de vous. Je vous baignais d'eau parfumée, dans un bassin d'albâtre[4] ; je polissais votre talon avec la pierre ponce trempée d'huile de palmes, vos ongles étaient coupés avec des pinces d'or et polis avec de la dent d'hippopotame, j'avais soin de choisir pour vous des thabebs[5] brodés et peints à pointes recourbées, qui faisaient l'envie de toutes les jeunes filles de l'Égypte ; vous aviez à votre orteil des bagues représentant le scarabée sacré[6], et vous portiez un des corps les plus légers que puisse souhaiter un pied paresseux. »

notes

1. cophte (ou copte) : ancienne langue égyptienne.

2. syringes : tombes royales égyptiennes creusées dans le roc.

3. pays de Ser : partie de la Nubie, région du sud de l'Égypte.

4. albâtre : pierre blanche et translucide.

5. thabebs : sandales tressées en feuilles de palmier.

6. scarabée sacré : en Égypte, le scarabée est un symbole du bonheur.

Le pied répondit d'un ton boudeur et chagrin :

« Vous savez bien que je ne m'appartiens plus, j'ai été acheté et payé ; le vieux marchand savait bien ce qu'il faisait, 300 il vous en veut toujours d'avoir refusé de l'épouser : c'est un tour qu'il vous a joué.

« L'Arabe qui a forcé votre cercueil royal dans le puits souterrain de la nécropole de Thèbes était envoyé par lui, il voulait vous empêcher d'aller à la réunion des peuples téné- 305 breux, dans les cités inférieures. Avez-vous cinq pièces d'or pour me racheter ?

– Hélas ! non. Mes pierreries, mes anneaux, mes bourses d'or et d'argent, tout m'a été volé, répondit la princesse Hermonthis avec un soupir.

310 – Princesse, m'écriai-je alors, je n'ai jamais retenu injustement le pied de personne : bien que vous n'ayez pas les cinq louis qu'il m'a coûté, je vous le rends de bonne grâce ; je serais désespéré de rendre boiteuse une aussi aimable personne que la princesse Hermonthis. »

315 Je débitai ce discours d'un ton Régence[1] et troubadour[2] qui dut surprendre la belle Égyptienne.

Elle tourna vers moi un regard chargé de reconnaissance, et ses yeux s'illuminèrent de lueurs bleuâtres.

Elle prit son pied, qui, cette fois, se laissa faire, comme 320 une femme qui va mettre son brodequin[3], et l'ajusta à sa jambe avec beaucoup d'adresse.

Cette opération terminée, elle fit deux ou trois pas dans la chambre, comme pour s'assurer qu'elle n'était réellement plus boiteuse.

notes

1. ton Régence : diction grasseyante et empreinte d'affectation que la bonne société de la Régence (1715-1723) considérait comme un signe de bon ton (la marquise de T***, personnage d'*Omphale*, parle aussi de cette manière. Pour Gautier, c'est le ton de la galanterie).

2. troubadour : poète du Moyen Âge.

3. brodequin : chaussure montante et lacée.

325 « Ah ! comme mon père va être content, lui qui était si désolé de ma mutilation, et qui avait, dès le jour de ma naissance, mis un peuple tout entier à l'ouvrage pour me creuser un tombeau si profond qu'il pût me conserver intacte jusqu'au jour suprême où les âmes doivent être
330 pesées dans les balances de l'Amenthi[1].

« Venez avec moi chez mon père, il vous recevra bien, vous m'avez rendu mon pied. »

Je trouvai cette proposition toute naturelle ; j'endossai une robe de chambre à grands ramages, qui me donnait un
335 air très pharaonesque ; je chaussai à la hâte des babouches turques, et je dis à la princesse Hermonthis que j'étais prêt à la suivre.

Hermonthis, avant de partir, détacha de son col la petite figurine de pâte verte et la posa sur les feuilles éparses qui
340 couvraient la table.

« Il est bien juste, dit-elle en souriant, que je remplace votre serre-papier. »

Elle me tendit sa main, qui était douce et froide comme une peau de couleuvre, et nous partîmes.

345 Nous filâmes pendant quelque temps avec la rapidité de la flèche dans un milieu fluide et grisâtre, où des silhouettes à peine ébauchées passaient à droite et à gauche.

Un instant, nous ne vîmes que l'eau et le ciel.

Quelques minutes après, des obélisques commencèrent
350 à pointer, des pylônes, des rampes côtoyées de sphinx[2] se dessinèrent à l'horizon.

notes

1. l'Amenthi : le pays des morts.

2. rampes côtoyées de sphinx : voie d'accès inclinée bordée de part et d'autre de statues de sphinx. Le sphinx est un être fabuleux composé d'un buste féminin sur un corps de lion.

Entrée du temple de Louqsor.
Gravure de Louis Pierre Baltard, d'après un dessin de Vivant Denon.

Nous étions arrivés.

La princesse me conduisit devant une montagne de granit rose, où se trouvait une ouverture étroite et basse qu'il
355 eût été difficile de distinguer des fissures de la pierre si deux stèles bariolées de sculptures ne l'eussent fait reconnaître.

Hermonthis alluma une torche et se mit à marcher devant moi.

C'étaient des corridors taillés dans le roc vif ; les murs,
360 couverts de panneaux d'hiéroglyphes et de processions allégoriques, avaient dû occuper des milliers de bras pendant des milliers d'années ; ces corridors, d'une longueur interminable, aboutissaient à des chambres carrées, au milieu desquelles étaient pratiqués des puits, où nous descendions au
365 moyen de crampons ou d'escaliers en spirale ; ces puits nous conduisaient dans d'autres chambres, d'où partaient d'autres corridors également bigarrés[1] d'éperviers[2], de serpents roulés en cercle, de tau[3], de pedum[4], de bari mystique[5], prodigieux travail que nul œil vivant ne devait voir, intermi-
370 nables légendes de granit que les morts avaient seuls le temps de lire pendant l'éternité.

Enfin, nous débouchâmes dans une salle si vaste, si énorme, si démesurée, que l'on ne pouvait en apercevoir les bornes ; à perte de vue s'étendaient des files de colonnes
375 monstrueuses entre lesquelles tremblotaient de livides étoiles de lumière jaune : ces points brillants révélaient des profondeurs incalculables.

notes

1. bigarrés : de multiples couleurs, variés.

2. éperviers : oiseaux de proie.

3. tau : instrument sacré en forme de *tau*, lettre grecque ayant la forme d'un T majuscule.

4. pedum : bâton en forme de crosse.

5. bari mystique : barque qui conduit les âmes dans le royaume des morts.

La princesse Hermonthis me tenait toujours par la main et saluait gracieusement les momies de sa connaissance.

380 Mes yeux s'accoutumaient à ce demi-jour crépusculaire, et commençaient à discerner les objets.

Je vis, assis sur des trônes, les rois des races souterraines : c'étaient de grands vieillards secs, ridés, parcheminés, noirs de naphte[1] et de bitume, coiffés de pschents[2] d'or, bardés de 385 pectoraux[3] et de hausse-cols[4], constellés de pierreries avec des yeux d'une fixité de sphinx et de longues barbes blanchies par la neige des siècles : derrière eux, leurs peuples embaumés se tenaient debout dans les poses roides[5] et contraintes de l'art égyptien, gardant éternellement l'attitude 390 prescrite par le codex hiératique[6] ; derrière les peuples miaulaient, battaient de l'aile et ricanaient les chats, les ibis[7] et les crocodiles contemporains, rendus plus monstrueux encore par leur emmaillotage de bandelettes.

Tous les Pharaons étaient là, Chéops, Chephrenès, 395 Psammetichus, Sésostris, Amenoteph[8] ; tous les noirs dominateurs des pyramides et des syringes ; sur une estrade plus élevée siégeaient le roi Chronos[9] et Xixouthros[10], qui fut contemporain du déluge, et Tubal Caïn[11], qui le précéda.

notes

1. naphte : pétrole brut, utilisé pour la conservation des momies.

2. pschents : doubles couronnes des pharaons.

3. pectoraux : ornements portés sur la poitrine.

4. hausse-cols : pièces d'acier ou de cuivre protégeant le cou.

5. roides : raides.

6. codex hiératique : livre officiel des pratiques liturgiques et sacrées.

7. ibis : oiseaux échassiers, sacrés en Égypte.

8. Chéops, Chephrenès, Psammetichus, Sésostris, Amenoteph : Chéops et Chephrenès sont deux pharaons de la IVe dynastie (vers 2650 av. J.-C.), bâtisseurs de la Grande Pyramide, de la seconde pyramide et du grand Sphynx. Psammetichus est le nom de trois pharaons du VIIe et du VIe siècle av. J.-C. Sésostris est le nom de trois pharaons du XXe et du XIXe siècle av. J.-C. Amenoteph n'est pas un pharaon mais l'architecte d'Aménophis III.

9. Chronos : dieu grec, fils d'Ouranos (le ciel) et de Gaïa (la terre), père de Zeus.

10. Xixouthros : le dernier souverain antérieur au Déluge dans la mythologie suméro-babylonienne.

11. Tubal Caïn : descendant de Caïn, ancêtre de tous les forgerons.

La barbe du roi Xixouthros avait tellement poussé qu'elle
400 avait déjà fait sept fois le tour de la table de granit sur laquelle il s'appuyait tout rêveur et tout somnolent.

Plus loin, dans une vapeur poussiéreuse, à travers le brouillard des éternités, je distinguais vaguement les soixante-douze rois préadamites[1] avec leurs soixante-douze
405 peuples à jamais disparus.

Après m'avoir laissé quelques minutes pour jouir de ce spectacle vertigineux, la princesse Hermonthis me présenta au Pharaon son père, qui me fit un signe de tête fort majestueux.

410 « J'ai retrouvé mon pied ! j'ai retrouvé mon pied ! criait la princesse en frappant ses petites mains l'une contre l'autre avec tous les signes d'une joie folle, c'est monsieur qui me l'a rendu. »

Les races de Kémé[2], les races de Nahasi, toutes les nations
415 noires, bronzées, cuivrées, répétaient en chœur :

« La princesse Hermonthis a retrouvé son pied. »

Xixouthros lui-même s'en émut :

Il souleva sa paupière appesantie, passa ses doigts dans sa moustache, et laissa tomber sur moi son regard chargé de
420 siècles.

« Par Oms[3], chien des enfers, et par Tmeï[4], fille du Soleil et de la Vérité, voilà un brave et digne garçon, dit le Pharaon en étendant vers moi son sceptre terminé par une fleur de lotus. Que veux-tu pour ta récompense ? »

notes

1. préadamites : hommes ayant existé avant Adam.

2. races de Kémé et de Nahasi : Noirs originaires de la Nubie, région située au sud de l'Égypte.

3. Oms : monstre qui dévore les âmes coupables dans l'au-delà égyptien.

4. Tmeï : déesse souvent confondue avec Thémis, déesse grecque de la justice.

425 Fort de cette audace que donnent les rêves, où rien ne paraît impossible, je lui demandai la main d'Hermonthis : la main pour le pied me paraissait une récompense antithétique d'assez bon goût.

Le Pharaon ouvrit tout grands ses yeux de verre, surpris 430 de ma plaisanterie et de ma demande.

« De quel pays es-tu et quel est ton âge ?

– Je suis français, et j'ai vingt-sept ans, vénérable Pharaon.

– Vingt-sept ans ! et il veut épouser la princesse Hermonthis, qui a trente siècles ! » s'écrièrent à la fois tous 435 les trônes et tous les cercles des nations.

Hermonthis seule ne parut pas trouver ma requête inconvenante.

« Si tu avais seulement deux mille ans, reprit le vieux roi, je t'accorderais bien volontiers la princesse, mais la dispro- 440 portion est trop forte, et puis il faut à nos filles des maris qui durent, vous ne savez plus vous conserver : les derniers qu'on a apportés il y a quinze siècles à peine, ne sont plus qu'une pincée de cendre ; regarde, ma chair est dure comme du basalte[1], mes os sont des barres d'acier.

445 « J'assisterai au dernier jour du monde avec le corps et la figure que j'avais de mon vivant ; ma fille Hermonthis durera plus qu'une statue de bronze.

« Alors le vent aura dispersé le dernier grain de ta poussière, et Isis elle-même, qui sut retrouver les morceaux 450 d'Osiris[2], serait embarrassée de recomposer ton être.

« Regarde comme je suis vigoureux encore et comme mes bras tiennent bien », dit-il en me secouant la main à

notes

1. basalte : roche volcanique compacte et noire.

2. Osiris : époux d'Isis. Ce dieu a été tué et démembré par son frère Seth. Isis, sa femme, a rassemblé les morceaux, l'a recousu et lui a rendu la vie.

l'anglaise, de manière à me couper les doigts avec mes bagues.

455 Il me serra si fort que je m'éveillai, et j'aperçus mon ami Alfred qui me tirait par le bras et me secouait pour me faire lever.

« Ah çà ! enragé dormeur, faudra-t-il te faire porter au milieu de la rue et te tirer un feu d'artifice aux oreilles ?

460 « Il est plus de midi, tu ne te rappelles donc pas que tu m'avais promis de venir me prendre pour aller voir les tableaux espagnols de M. Aguado[1] ?

– Mon Dieu ! je n'y pensais plus, répondis-je en m'habillant ; nous allons y aller : j'ai la permission ici sur mon
465 bureau. »

Je m'avançai effectivement pour la prendre ; mais jugez de mon étonnement lorsque à la place du pied de momie que j'avais acheté la veille, je vis la petite figurine de pâte verte mise à sa place par la princesse Hermonthis !

Buste du cercueil de Ramsès II. Musée du Caire.

notes

1. Aguado : Alexandre Marie Aguado (1784-1842) est un amateur d'art espagnol dont la collection a été vendue en 1843.

Au fil du texte

Questions sur l'apparition d'Hermonthis et le voyage en Égypte (pages 83 à 95)

QUE S'EST-IL PASSÉ ENTRE-TEMPS ?

1. Dans quel état le narrateur rentre-t-il chez lui après dîner ?

2. Que remarque-t-il en arrivant chez lui ?

3. Que se passe-t-il avant l'apparition de la princesse Hermonthis ?

AVEZ-VOUS BIEN LU ?

4. Dans quelle langue le pied et la princesse dialoguent-ils ?

☐ le chinois ☐ le cophte ☐ l'hébreu

5. Lorsque le narrateur rend son pied à Hermonthis, que lui donne-t-elle en échange ?

6. Pour quelle raison le pharaon refuse-t-il la main d'Hermonthis au narrateur ?

7. Comment le récit prend-il fin ?

☐ un ami réveille le narrateur.

☐ le narrateur meurt.

☐ Hermonthis et les pharaons disparaissent.

ÉTUDIER LE VOCABULAIRE ET LA GRAMMAIRE

8. Cherchez dans un dictionnaire les deux sens de l'adjectif *« hiéroglyphique »*.

a) Cet adjectif peut-il qualifier le terme *« race »* ? Quel est alors le sens de l'expression des lignes 243-244 ?

b) Quelle information peut-on en tirer sur la jeune fille qui apparaît au narrateur ?

9. **Lignes 345 à 352 : comment le mouvement et la rapidité du voyage sont-ils suggérés ?**

10. **Quel est le sujet des verbes** ***« commencer »*** **(l. 349) et** ***« se dessiner »*** **(l. 351) ? De qui indiquent-ils en fait un mouvement ?**

ÉTUDIER LE DISCOURS

11. **Lignes 286 à 296 : la princesse s'adresse à son pied.**

a) Qu'essaie-t-elle d'obtenir de lui ?

☐ qu'il revienne à elle.
☐ qu'il remette sa chaussure.
☐ qu'il descende de la table.

b) Quel argument emploie-t-elle pour le convaincre ?

☐ la menace.
☐ la douceur.
☐ la supplication.

c) À travers son pied, à qui la princesse s'adresse-t-elle aussi ?

12. **Quels termes montrent que les échanges et ceux qui suivent sont chargés de séduction et de galanterie ?**

ÉTUDIER LE GENRE : LE RÉCIT FANTASTIQUE, RÊVE OU RÉALITÉ ?

13. **Analysez le va-et-vient entre les événements rêvés et les événements vécus par le narrateur.**

a) À deux reprises (l. 257 et 425) le narrateur déclare qu'il est dans un rêve. Selon ses formules, que permet le rêve ?

b) Trouvez d'autres illustrations, précises et explicites, des possibilités extraordinaires du monde du rêve, par opposition au monde réel.
c) En quoi la fin du dialogue avec le Pharaon confirme-t-elle l'hypothèse qu'il s'agit d'un récit de rêve ?
d) Que signifie la découverte de la petite statue de la princesse sur son bureau ?
e) Que pouvez-vous conclure de la confrontation de vos réponses aux questions *a*, *b*, *c* et *d* ?

ÉTUDIER UN THÈME : L'ÉTERNITÉ

symbole : **objet qui représente une idée ; par exemple, la colombe est le symbole de la paix.**

14. Montrez comment le groupe des pharaons et des rois symbolise l'éternité.
a) Identifiez deux symboles* d'une époque antérieure à la Bible.
b) Quelle caractéristique physique du roi Xixouthros montre son grand âge ? Cette caractéristique fait-elle de lui un mort ou un vivant ?

15. À partir de vos réponses, et de l'analyse du dialogue entre le Pharaon et le narrateur (l. 431 à 454), dites ce que symbolisent l'Égypte et les momies pour Théophile Gautier.

LIRE L'IMAGE

16. Quels sont les points communs entre le temple représenté page 90 et l'endroit où « atterrissent » le narrateur et Hermonthis ?

À VOS PLUMES !

17. Rédigez un récit de rêve à la première personne. Ce rêve vous entraîne dans un pays et une époque éloignés. Une intervention extérieure l'interrompt. Vous découvrez ensuite un objet provenant de votre rêve.

I
Un rendez-vous au Jardin impérial

On touchait aux derniers jours de novembre : le Jardin impérial de Vienne était désert, une bise aiguë faisait tourbillonner les feuilles couleur de safran et grillées par les premiers froids ; les rosiers des parterres, tourmentés et rompus par le vent, laissaient traîner leurs branchages dans la boue. Cependant la grande allée, grâce au sable qui la recouvre, était sèche et praticable. Quoique dévasté par les approches de l'hiver, le Jardin impérial ne manquait pas d'un certain charme mélancolique. La longue allée prolongeait fort loin ses arcades rousses, laissant deviner confusément à son extrémité un horizon de collines déjà noyées dans les vapeurs bleuâtres et le brouillard du soir ; au-delà, la vue s'étendait sur le

Vue du Leude Bague, ou Carrousel, au Prater, **gravure par C. Postl.**

Prater[1] et le Danube ; c'était une promenade faite à souhait pour un poète.

Un jeune homme arpentait cette allée avec des signes visibles d'impatience ; son costume, d'une élégance un peu théâtrale, consistait en une redingote[2] de velours noir à brandebourgs[3] d'or bordée de fourrure, un pantalon de tricot gris, des bottes molles à glands montant jusqu'à mi-jambes. Il pouvait avoir de vingt-sept à vingt-huit ans ; ses traits pâles et réguliers étaient pleins de finesse, et l'ironie se blottissait dans les plis de ses yeux et les coins de sa bouche ; à

notes

1. Prater : jardin public à l'est de Vienne, bordé par le Danube ; c'est la promenade du monde élégant.

2. redingote : longue veste croisée à basques.

3. brandebourgs : ornements brodés autour des boutonnières.

l'Université, dont il paraissait récemment sorti, car il portait
25 encore la casquette à feuilles de chêne des étudiants, il devait avoir donné beaucoup de fil à retordre aux *philistins*[1] et brillé au premier rang des *burschen*[2] et des *renards*[3].

Le très court espace dans lequel il circonscrivait sa promenade montrait qu'il attendait quelqu'un ou plutôt
30 quelqu'une, car le Jardin impérial de Vienne, au mois de novembre, n'est guère propice aux rendez-vous d'affaires.

En effet, une jeune fille ne tarda pas à paraître au bout de l'allée : une coiffe de soie noire couvrait ses riches cheveux blonds, dont l'humidité du soir avait légèrement défrisé les
35 longues boucles ; son teint, ordinairement d'une blancheur de cire vierge, avait pris sous les morsures du froid des nuances de roses de Bengale. Groupée et pelotonnée comme elle était dans sa mante[4] garnie de martre, elle ressemblait à ravir à la statuette de la Frileuse[5] ; un barbet[6]
40 noir l'accompagnait, chaperon[7] commode, sur l'indulgence et la discrétion duquel on pouvait compter.

« Figurez-vous, Henrich, dit la jolie Viennoise en prenant le bras du jeune homme, qu'il y a plus d'une heure que je suis habillée et prête à sortir, et ma tante n'en finissait pas
45 avec ses sermons sur les dangers de la valse, et les recettes pour les gâteaux de Noël et les carpes au bleu. Je suis sortie sous le prétexte d'acheter des brodequins[8] gris dont je n'ai

notes

1. *philistins* : terme péjoratif de l'argot des étudiants viennois qui désigne ceux qui ne sont pas étudiants, en particulier les commerçants et les bourgeois.

2. *burschen* : étudiants anciens.

3. *renards* : étudiants nouveaux, bizuts.

4. *mante* : manteau simple et sans manches.

5. *la Frileuse* : statue du sculpteur français Jean Antoine Houdon (1741-1828).

6. *barbet* : chien griffon à poils longs et frisés.

7. *chaperon* : personne âgée qui accompagne une jeune fille dans le monde pour veiller sur sa vertu.

8. *brodequins* : chaussures montantes et lacées.

nul besoin. C'est pourtant pour vous, Henrich, que je fais tous ces petits mensonges dont je me repens et que je recommence toujours ; aussi quelle idée avez-vous eue de vous livrer au théâtre ; c'était bien la peine d'étudier si longtemps la théologie[1] à Heidelberg. Mes parents vous aimaient et nous serions mariés aujourd'hui. Au lieu de nous voir à la dérobée sous les arbres chauves du Jardin impérial, nous serions assis côte à côte près d'un beau poêle de Saxe, dans un parloir bien clos, causant de l'avenir de nos enfants : ne serait-ce pas, Henrich, un sort bien heureux ?

– Oui, Katy, bien heureux, répondit le jeune homme en pressant sous le satin et les fourrures le bras potelé de la jolie Viennoise ; mais, que veux-tu ! c'est un ascendant invincible ; le théâtre m'attire ; j'en rêve le jour, j'y pense la nuit ; je sens le désir de vivre dans la création des poètes, il me semble que j'ai vingt existences. Chaque rôle que je joue me fait une vie nouvelle ; toutes ces passions que j'exprime, je les éprouve ; je suis Hamlet, Othello[2], Charles Moor[3] : quand on est tout cela, on ne peut que difficilement se résigner à l'humble condition de pasteur[4] de village.

– C'est fort beau ; mais vous savez bien que mes parents ne voudront jamais d'un comédien pour gendre.

– Non, certes, d'un comédien obscur, pauvre artiste ambulant, jouet des directeurs et du public ; mais d'un grand comédien couvert de gloire et d'applaudissements ; plus payé qu'un ministre, si difficiles qu'ils soient, ils en voudront bien. Quand je viendrai vous demander dans une belle

notes

1. *théologie* : étude de la religion et des textes sacrés.

2. *Hamlet, Othello* : nom de deux héros, et des pièces du même nom, de William Shakespeare (1564-1616).

3. *Charles Moor* : personnage des *Brigands* du dramaturge allemand Schiller (1759-1805).

4. *pasteur* : officier du culte protestant.

75 calèche jaune dont le verni pourra servir de miroir aux voisins étonnés, et qu'un grand laquais[1] galonné m'abattra[2] le marchepied, croyez-vous, Katy, qu'ils me refuseront ?

– Je ne le crois pas… Mais qui dit, Henrich, que vous en arriverez jamais là ?… Vous avez du talent ; mais le talent ne 80 suffit pas, il faut encore beaucoup de bonheur. Quand vous serez ce grand comédien dont vous parlez, le plus beau temps de notre jeunesse sera passé, et alors voudrez-vous toujours épouser la vieille Katy, ayant à votre disposition les amours de toutes ces princesses de théâtre si joyeuses et si 85 parées ?

– Cet avenir, répondit Henrich, est plus prochain que vous ne croyez ; j'ai un engagement avantageux au théâtre de la Porte de Carinthie[3], et le directeur a été si content de la manière dont je me suis acquitté de mon dernier rôle, 90 qu'il m'a accordé une gratification de deux mille thalers[4].

– Oui, reprit la jeune fille d'un air sérieux, ce rôle de démon dans la pièce nouvelle ; je vous avoue, Henrich, que je n'aime pas voir un chrétien prendre le masque de l'ennemi du genre humain et prononcer des paroles blas-95 phématoires. L'autre jour, j'allai vous voir au théâtre de Carinthie, et à chaque instant je craignais qu'un véritable feu d'enfer ne sortît des trappes où vous vous engloutissiez dans un tourbillon d'esprit-de-vin. Je suis revenue chez moi toute troublée et j'ai fait des rêves affreux.

100 – Chimères que tout cela, ma bonne Katy ; et d'ailleurs, c'est demain la dernière représentation, et je ne mettrai plus le costume noir et rouge qui te déplaît tant.

notes

1. ***laquais :*** serviteur.
2. ***m'abattra :*** m'ouvrira, me descendra.
3. ***Porte de Carinthie :*** la Carinthie est un État fédéral *(Bundesland)* du sud de l'Autriche.
4. ***thaler :*** ancienne monnaie allemande d'argent.

– Tant mieux ! car je ne sais quelles vagues inquiétudes me travaillent l'esprit, et j'ai bien peur que ce rôle, profitable à votre gloire, ne le soit pas à votre salut ; j'ai peur aussi que vous ne preniez de mauvaises mœurs avec ces damnés comédiens. Je suis sûre que vous ne dites plus vos prières, et la petite croix que je vous avais donnée, je parierais que vous l'avez perdue. »

Henrich se justifia en écartant les revers de son habit ; la petite croix brillait toujours sur sa poitrine.

Tout en devisant ainsi, les deux amants étaient parvenus à la rue du Thabor dans la Leopoldstadt[1], devant la boutique du cordonnier renommé pour la perfection de ses brodequins gris ; après avoir causé quelques instants sur le seuil, Katy entra suivie de son barbet noir, non sans avoir livré ses jolis doigts effilés au serrement de main d'Henrich.

Henrich tâcha de saisir encore quelques aspects de sa maîtresse, à travers les souliers mignons et les gentils brodequins symétriquement rangés sur les tringles de cuivre de la devanture ; mais le brouillard avait étamé[2] les carreaux de sa moite haleine, et il ne put démêler qu'une silhouette confuse ; alors, prenant une héroïque résolution, il pirouetta sur ses talons et s'en alla d'un pas délibéré au gasthof[3] de l'*Aigle à deux têtes*.

notes

1. Leopoldstadt : quartier de Vienne.

2. étamé : rendu brillant et opaque.

3. gasthof : auberge.

Au fil du texte

Questions sur le chapitre I (pages 99 à 104)

AVEZ-VOUS BIEN LU ?

1. Que fait Henrich au Jardin impérial de Vienne ?

☐ Il attend sa fiancée.
☐ Il répète son prochain rôle.
☐ Il fait une simple promenade.

2. Quel prétexte invoque Katy pour échapper à sa tante ?

☐ Un rendez-vous chez le médecin.
☐ Une visite à l'Église.
☐ Un achat à faire.

3. À quelle profession se destinait Henrich, avant de devenir acteur ?

4. Dans quel rôle fait-il un triomphe ?

5. Quel objet Katy soupçonne-t-elle Henrich d'avoir perdu ?

ÉTUDIER LE VOCABULAIRE ET LA GRAMMAIRE

6. Katy formule une hypothèse au conditionnel présent (l. 55). À son tour Henrich formule une autre hypothèse (l. 74 à 77), mais au futur simple.

a) Précisez l'hypothèse formulée par chacun d'eux.
b) Indiquez les différences de sens entre le conditionnel et le futur.

ÉTUDIER LE DISCOURS

7. Tout au long du dialogue, Katy (l. 58 à 109) tente d'obtenir d'Henrich qu'il abandonne le théâtre pour pouvoir l'épouser, mais Henrich refuse. Selon lui il l'épousera, même en faisant du théâtre.

a) Relevez les arguments successifs employés par Katy.

b) Relevez les arguments qu'Henrich y oppose.

c) Lequel des deux amants sort vainqueur de cette confrontation ? au moyen de quel argument ?

ÉTUDIER LE GENRE : LE CONTE FANTASTIQUE

8. La peur est l'un des éléments du fantastique. Comment fait-elle irruption dans ce début de nouvelle à l'allure d'innocente comédie bourgeoise ? Pour répondre, vous préciserez :

a) Le personnage qui éprouve de la crainte.

b) La cause de son inquiétude et les explications précises qu'il en donne.

9. Dans quelle mesure les éléments que vous avez relevés à la question précédente préfigurent-ils un événement fantastique ?

ÉTUDIER UN THÈME : LE THÉÂTRE, SUPPORT DU FANTASTIQUE

10. En quoi le théâtre est-il un lieu favorable au déroulement d'événements fantastiques ? Répondez, à partir de l'analyse des lignes 58 à 67 et 91 à 99.

Étudier l'écriture

11. *« Gasthof »* est un mot allemand que Gautier emploie à la place de son équivalent français (auberge) pour donner une atmosphère viennoise à son récit. Relevez d'autres éléments qui donnent de la couleur locale* à ce premier chapitre.

Lire l'image

12. Le narrateur fait du Prater, tel que le découvre Henrich, un élément constitutif d'une *« promenade faite à souhait pour un poète »* (l. 14-15). Selon vous, l'image du Prater de la page 100 correspond-elle à une promenade de poète romantique telle que la décrit la nouvelle ?

13. Dans la gravure du Prater, quels détails montrent que ce jardin public viennois est la promenade du monde élégant ?

couleur locale : **ensemble de détails utilisés par un écrivain pour donner l'impression que son récit se passe dans un pays donné.**

À vos plumes !

14. *« Vous savez bien que mes parents ne voudront jamais d'un comédien pour gendre »*, déclare Katy. Rédigez la réplique d'Henrich qui affirme (en utilisant le présent de l'indicatif) et démontre (au moyen de liens logiques) que les parents sont, au contraire, prêts à accepter ce mariage, en raison des arguments suivants :
– les parents respectent les sentiments de leur fille ;
– Henrich est un bon parti car il est riche et célèbre ;
– les parents de Katy aiment le théâtre mais ils l'avaient caché à leur fille.

II

*Le gasthof de l'*Aigle à deux têtes

Il y avait ce soir-là compagnie nombreuse au gasthof de l'*Aigle à deux têtes* ; la société était la plus mélangée du monde, et le caprice de Callot[1] et celui de Goya, réunis, n'auraient pu produire un plus bizarre amalgame de types
130 caractéristiques. L'*Aigle à deux têtes* était une de ces bienheureuses caves célébrées par Hoffmann[2], dont les marches sont si usées, si onctueuses et si glissantes, qu'on ne peut poser le pied sur la première sans se trouver tout de suite au fond, les coudes sur la table, la pipe à la bouche, entre un pot de bière
135 et une mesure de vin nouveau.

À travers l'épais nuage de fumée qui vous prenait d'abord à la gorge et aux yeux, se dessinaient, au bout de quelques minutes, toutes sortes de figures étranges.

C'étaient des Valaques[3] avec leur cafetan[4] et leur bonnet
140 de peau d'Astrakan[5], des Serbes, des Hongrois aux longues moustaches noires, caparaçonnés de dolmans[6] et de passementeries[7] ; des Bohêmes[8] au teint cuivre, au front étroit, au

notes

1. *Callot, Goya :* Jacques Callot, graveur et peintre français (1592-1635), et Francisco Goya, peintre et graveur espagnol (1746-1828), sont deux peintres admirés par les romantiques, notamment pour leur manière expressive de représenter les groupes.

2. *Hoffmann :* l'écrivain allemand Ernst Theodor Wilhelm Amadeus Hoffmann (1776-1822) est l'auteur de nombreux contes fantastiques très admirés par les romantiques, qui se sont inspirés de son univers et de ses personnages.

3. *Valaques :* habitants de la Valachie, région qui fait aujourd'hui partie de la Roumanie.

4. *cafetan :* ce vêtement oriental est une pelisse doublée de fourrure.

5. *Astrakan :* ville de Russie qui a donné son nom à une fourrure d'agneau à poils bouclés.

6. *dolmans :* costumes militaires à brandebourgs.

7. *passementeries :* ornements de cordons, de rubans et de fils brodés.

8. *Bohêmes :* habitants de la Bohême, région située à l'ouest de la République tchèque.

Scène de sorcellerie, le grand bouc.
Peinture de Goya (1746-1828).
Madrid, musée Lazaro-Galdiano.

profil busqué ; d'honnêtes Allemands en redingote à brandebourgs, des Tatars[1] aux yeux retroussés à la chinoise ; toutes les populations imaginables. L'Orient y était représenté par un gros Turc accroupi dans un coin, qui fumait paisiblement du latakié[2] dans une pipe à tuyau de cerisier de Moldavie[3], avec un fourreau de terre rouge et un bout d'ambre jaune.

Tout ce monde, accoudé à des tables, mangeait et buvait : la boisson se composait de bière forte et d'un mélange de vin rouge nouveau avec du vin blanc plus ancien ; la nourriture, de tranches de veau froid, de jambon ou de pâtisseries.

Autour des tables tourbillonnait sans repos une de ces longues valses allemandes qui produisent sur les imaginations septentrionales le même effet que le hachich[4] et l'opium sur les Orientaux ; les couples passaient et repassaient avec rapidité ; les femmes, presque évanouies de plaisir sur le bras de leur danseur, au bruit d'une valse de Lanner[5], balayaient de leurs jupes les nuages de fumée de pipe et rafraîchissaient le visage des buveurs. Au comptoir, des improvisateurs morlaques[6] accompagnés d'un joueur de guzla[7], récitaient une espèce de complainte dramatique qui paraissait divertir beaucoup une douzaine de figures étranges, coiffées de tarbouchs[8] et vêtues de peau de mouton.

notes

1. Tatars : les Tatars, ou Tartares, sont des populations d'Asie centrale et de Russie orientale, composées de Turcs et de Mongols.

2. latakié : tabac supérieur de Syrie.

3. Moldavie : pays d'Europe orientale situé entre la Roumanie et l'Ukraine.

4. hachich : à l'époque de Gautier, le mot s'écrit indifféremment hachich ou haschisch.

5. Lanner : Joseph Franz Carl Lanner, compositeur autrichien (1801-1843).

6. Morlaques : habitants du nord de la Dalmatie, région du sud-est de la Croatie.

7. guzla : instrument de musique à archet et à une corde de la région des Balkans.

8. tarbouchs : bonnet oriental rouge, cylindrique et surmonté d'un gland de soie.

Le Capitaine des gueux, gravure de Jacques Callot (1592-1635). Bibl. des Arts décoratifs.

Henrich se dirigea vers le fond de la cave et alla prendre place à une table où étaient déjà assis trois ou quatre personnages de joyeuse mine et de belle humeur.

170 « Tiens, c'est Henrich ! s'écria le plus âgé de la bande ; prenez garde à vous, mes amis : *fœnum habet in cornu*[1]. Sais-tu que tu avais vraiment l'air diabolique l'autre soir : tu me faisais presque peur. Et comment s'imaginer qu'Henrich, qui boit de la bière comme nous et ne recule

175 pas devant une tranche de jambon froid, vous prenne des airs si venimeux, si méchants et si sardoniques[2] et qu'il lui suffise d'un geste pour faire courir le frisson dans toute la salle ?

– Eh ! pardieu ! c'est pour cela qu'Henrich est un grand artiste, un sublime comédien. Il n'y a pas de gloire à

180 représenter un rôle qui serait dans votre caractère ; le triomphe, pour une coquette, est de jouer supérieurement les ingénues. »

Henrich s'assit modestement, se fit servir un grand verre de vin mélangé, et la conversation continua sur le même sujet.

185 Ce n'était de toutes parts qu'admiration et compliments.

« Ah ! si le grand Wolfgang de Goethe[3] t'avait vu ! disait l'un.

– Montre-nous tes pieds, disait l'autre : je suis sûr que tu as l'ergot fourchu[4].

notes

1. *il a du foin dans ses cornes* : expression qui souligne la mine inquiétante d'Henrich, par allusion à l'usage ancien de mettre du foin autour des cornes des bœufs agressifs pour avertir les passants du danger.

2. *sardoniques* : pleins d'une moquerie amère et méchante.

3. *Wofgang de Goethe (Wolfgang von Goethe)* : un des maîtres de la littérature allemande (1749-1832), auteur d'un *Faust*, pièce dans laquelle un savant, Faust, vend son âme au diable en échange du savoir et de biens terrestres.

4. *l'ergot fourchu* : le diable est souvent représenté avec des pieds de bouc, dont le sabot est fendu en deux.

190 Les autres buveurs, attirés par ces exclamations, regardaient sérieusement Henrich, tout heureux d'avoir l'occasion d'examiner de près un homme si remarquable. Les jeunes gens qui avaient autrefois connu Henrich à l'Université, et dont ils savaient à peine le nom, s'appro-
195 chaient de lui en lui serrant la main cordialement, comme s'ils eussent été ses intimes amis. Les plus jolies valseuses lui décochaient en passant le plus tendre regard de leurs yeux bleus et veloutés.

Seul, un homme assis à la table voisine ne paraissait pas
200 prendre part à l'enthousiasme général ; la tête renversée en arrière, il tambourinait distraitement, avec ses doigts, sur le fond de son chapeau, une marche militaire, et, de temps en temps, il poussait une espèce de *humph* ! singulièrement dubitatif.

205 L'aspect de cet homme était des plus bizarres, quoiqu'il fût mis comme un honnête bourgeois de Vienne, jouissant d'une fortune raisonnable ; ses yeux gris se nuançaient de teintes vertes et lançaient des lueurs phosphoriques comme celles des chats. Quand ses lèvres pâles et plates se desser-
210 raient, elles laissaient voir deux rangées de dents très blanches, très aiguës et très séparées, de l'aspect le plus cannibale et le plus féroce ; ses ongles longs, luisants et recourbés, prenaient de vagues apparences de griffes ; mais cette physionomie n'apparaissait que par éclairs rapides ; sous l'œil
215 qui le regardait fixement, sa figure reprenait bien vite l'apparence bourgeoise et débonnaire[1] d'un marchand viennois retiré du commerce et l'on s'étonnait d'avoir pu soupçonner de scélératesse et de diablerie une face si vulgaire et si triviale.

notes

1. *débonnaire* : plein de bonté, inoffensif.

Intérieurement Henrich était choqué de la nonchalance
220 de cet homme ; ce silence si dédaigneux ôtait de leur valeur aux éloges dont ses bruyants compagnons l'accablaient. Ce silence était celui d'un vieux connaisseur exercé, qui ne se laisse pas prendre aux apparences et qui a vu mieux que cela dans son temps.

225 Atmayer, le plus jeune de la troupe, le plus chaud enthousiaste[1] d'Henrich, ne put supporter cette mine froide, et, s'adressant à l'homme singulier, comme le prenant à témoin d'une assertion[2] qu'il avançait :

« N'est-ce pas, monsieur, qu'aucun acteur n'a mieux joué
230 le rôle de Méphistophélès[3] que mon camarade que voilà ?

– Humph ! dit l'inconnu en faisant miroiter ses prunelles glauques et craquer ses dents aiguës, M. Henrich est un garçon de talent et que j'estime fort ; mais, pour jouer le rôle du diable, il lui manque encore bien des choses. »

235 Et, se dressant tout à coup :

« Avez-vous jamais vu le diable, monsieur Henrich ? »

Il fit cette question d'un ton si bizarre et si moqueur, que tous les assistants se sentirent passer un frisson dans le dos.

« Cela serait pourtant bien nécessaire pour la vérité de
240 votre jeu. L'autre soir, j'étais au théâtre de la Porte de Carinthie, et je n'ai pas été satisfait de votre rire ; c'était un rire d'espiègle, tout au plus. Voici comme il faudrait rire, mon cher petit monsieur Henrich. »

Et là-dessus, comme pour lui donner l'exemple, il
245 lâcha un éclat de rire si aigu, si strident, si sardonique, que l'orchestre et les valses s'arrêtèrent à l'instant même ; les

notes

1. le plus chaud enthousiaste : le plus fervent de ses admirateurs.

2. assertion : affirmation.

3. Méphistophélès : nom du diable dans le *Faust* de Goethe.

Méphistophélès dans la taverne des étudiants.
Sujet tiré du *Faust* de Goethe.
Lithographie d'Eugène Delacroix, 1828.

vitres du gasthof tremblèrent. L'inconnu continua pendant quelques minutes ce rire impitoyable et convulsif qu'Henrich et ses compagnons, malgré leur frayeur, ne pouvaient s'empêcher d'imiter.

Quand Henrich reprit haleine, les voûtes du gasthof répétaient, comme un écho affaibli, les dernières notes de ce ricanement grêle et terrible, et l'inconnu n'était plus là.

III

Le théâtre de la Porte de Carinthie

Quelques jours après cet incident bizarre, qu'il avait presque oublié et dont il ne se souvenait plus que comme de la plaisanterie d'un bourgeois ironique, Henrich jouait son rôle de démon dans la pièce nouvelle.

Sur la première banquette de l'orchestre était assis l'inconnu du gasthof, et, à chaque mot prononcé par Henrich, il hochait la tête, clignait les yeux, faisait claquer sa langue contre son palais et donnait les signes de la plus vive impatience : « Mauvais ! mauvais ! » murmurait-il à demi-voix.

Ses voisins, étonnés et choqués de ses manières, applaudissaient et disaient :

« Voilà un monsieur bien difficile ! »

À la fin du premier acte, l'inconnu se leva, comme ayant pris une résolution subite, enjamba les timbales, la grosse caisse et le tamtam[1], et disparut par la petite porte qui conduit de l'orchestre au théâtre.

notes

1. les timbales, la grosse caisse et le tamtam : instruments de percussion de l'orchestre, souvent situé dans une fosse devant la scène.

270 Henrich, en attendant le lever du rideau, se promenait dans la coulisse[1], et, arrivé au bout de sa courte promenade, quelle fut sa terreur de voir, en se retournant, debout au milieu de l'étroit corridor, un personnage mystérieux, vêtu exactement comme lui, et qui le regardait avec des yeux 275 dont la transparence verdâtre avait dans l'obscurité une profondeur inouïe ; des dents aiguës, blanches, séparées, donnaient quelque chose de féroce à son sourire sardonique.

Henrich ne put méconnaître l'inconnu du gasthof de l'*Aigle à deux têtes*, ou plutôt le diable en personne ; car c'était 280 lui.

« Ah ! ah ! mon petit monsieur, vous voulez jouer le rôle du diable ! Vous avez été bien médiocre dans le premier acte, et vous donneriez vraiment une trop mauvaise opinion de moi aux braves habitants de Vienne. Vous me permettrez de 285 vous remplacer ce soir, et, comme vous me gêneriez, je vais vous envoyer au second dessous[2]. »

Henrich venait de reconnaître l'ange des ténèbres et il se sentit perdu ; portant machinalement la main à la petite croix de Katy, qui ne le quittait jamais, il essaya d'appeler au 290 secours et de murmurer sa formule d'exorcisme ; mais la terreur lui serrait trop violemment la gorge : il ne put pousser qu'un faible râle. Le diable appuya ses mains griffues sur les épaules d'Henrich et le fit plonger de force dans le plancher ; puis entra en scène, sa réplique étant venue, comme un 295 comédien consommé.

notes

1. coulisse : partie située derrière la scène et dans laquelle les acteurs se préparent avant d'entrer en scène.

2. dessous : nom des sous-sols situés sous la scène où l'on range les décors nécessaires à la mise en scène, qu'une machinerie permet de faire apparaître et disparaître au fur et à mesure des besoins.

Ce jeu incisif, mordant, venimeux et vraiment diabolique, surprit d'abord les auditeurs.

« Comme Henrich est en verve aujourd'hui ! » s'écriait-on de toutes parts.

300 Ce qui produisait surtout un grand effet, c'était ce ricanement aigre comme le grincement d'une scie, ce rire de damné blasphémant les joies du paradis. Jamais acteur n'était arrivé à une telle puissance de sarcasme[1], à une telle profondeur de scélératesse : on riait et on tremblait. Toute la salle 305 haletait d'émotion, des étincelles phosphoriques jaillissaient sous les doigts du redoutable acteur ; des traînées de flamme étincelaient à ses pieds ; les lumières du lustre pâlissaient, la rampe jetait des éclairs rougeâtres et verdâtres ; je ne sais quelle odeur sulfureuse régnait dans la salle ; les spectateurs 310 étaient comme en délire, et des tonnerres d'applaudissements frénétiques ponctuaient chaque phrase du merveilleux Méphistophélès, qui souvent substituait des vers de son invention à ceux du poète, substitution toujours heureuse et acceptée avec transport.

315 Katy, à qui Henrich avait envoyé un coupon de loge, était dans une inquiétude extraordinaire ; elle ne reconnaissait pas son cher Henrich ; elle pressentait vaguement quelque malheur avec cet esprit de divination que donne l'amour, cette seconde vue de l'âme.

320 La représentation s'acheva dans des transports inimaginables. Le rideau baissé, le public demanda à grands cris que Méphistophélès reparût. On le chercha vainement ; mais un garçon de théâtre vint dire au directeur qu'on avait trouvé dans le second dessous M. Henrich, qui sans doute était

notes

1. sarcasme : ironie agressive et mordante.

325 tombé par une trappe. Henrich était sans connaissance : on l'emporta chez lui, et, en le déshabillant, l'on vit avec surprise qu'il avait aux épaules de profondes égratignures, comme si un tigre eût essayé de l'étouffer entre ses pattes. La petite croix d'argent de Katy l'avait préservé de la mort, et 330 le diable, vaincu par cette influence, s'était contenté de le précipiter dans les caves du théâtre.

La convalescence d'Henrich fut longue : dès qu'il se porta mieux, le directeur vint lui proposer un engagement des plus avantageux, mais Henrich le refusa ; car il ne se sou- 335 ciait nullement de risquer son salut une seconde fois, et savait, d'ailleurs, qu'il ne pourrait jamais égaler sa redoutable doublure.

Au bout de deux ou trois ans, ayant fait un petit héritage, il épousa la belle Katy, et tous deux, assis côte à côte près 340 d'un poêle de Saxe, dans un parloir bien clos, ils causent de l'avenir de leurs enfants.

Les amateurs de théâtre parlent encore avec admiration de cette merveilleuse soirée, et s'étonnent du caprice d'Henrich, qui a renoncé à la scène après un si grand 345 triomphe.

Au fil du texte

Questions sur le chapitre III (pages 108 à 119)

QUE S'EST-IL PASSÉ ENTRE-TEMPS ?

1. Où est allé Henrich après avoir quitté Katy et avant de se rendre au théâtre ?

2. Quel est le rôle précis joué par Henrich ?

3. Qui n'a pas apprécié le talent dramatique d'Henrich ?

champ lexical : **ensemble de mots d'un texte qui se rapportent à la même notion.**

AVEZ-VOUS BIEN LU ?

4. Qui monte sur scène à la fin du premier acte ?

5. Où cet étrange spectateur envoie-t-il Henrich ?
☐ en enfer ☐ chez lui ☐ dans le sous-sol du théâtre

6. Que saisit Henrich pour se protéger du diable ?

7. Qui remplace Henrich dans le deuxième acte ?

8. Quelles traces le diable laisse-t-il de son passage ?

ÉTUDIER LE VOCABULAIRE ET LA GRAMMAIRE

9. Dans la description du jeu théâtral du double d'Henrich (l. 301 à 308), relevez deux champs lexicaux* dominants et donnez-leur un titre. Quel univers ces champs lexicaux suggèrent-ils ?

10. Relevez les quatre tournures exclamatives du chapitre III et indiquez si elles expriment la réprobation, l'admiration ou la moquerie.
a) .... *b)* .... *c)* .... *d)* ....

Étudier le discours

11. Lignes 258 à 262 : relevez, en les distinguant, les manifestations verbales et non verbales de la désapprobation de *« l'inconnu du gasthof »*.
a) gestes : ...... *b)* bruits : ...... *c)* paroles : ......

12. Parmi ces manifestations, distinguez celles où il exprime explicitement* et implicitement* son mécontentement.

Étudier le genre : le mythe de Faust

13. Faites une recherche sur Goethe, Faust et Méphistophélès.
a) Quelles sont l'époque et la nationalité de Goethe ?
b) Quel drame célèbre a-t-il écrit ?
c) Avec qui Faust passe-t-il un pacte et quels en sont les termes ?

14. À partir des résultats de votre recherche, dites :
a) Quel peut être le drame dans lequel joue Henrich ?
b) Si Henrich passait un pacte avec le diable, quels en seraient les termes ?

explicitement et implicitement : **est explicite ce qui est clairement dit, est implicite ce qui est sous-entendu, suggéré par l'énoncé et son contexte.**

Étudier un thème : l'apparition du diable

15. Dans les chapitres II et III, le diable apparaît sous la forme d'un individu ordinaire. Quels traits caractéristiques permettent de le reconnaître ?
a) Son regard est : ....
b) Ses dents sont : ....
c) Son rire est : ....
d) Son expression est : ....
e) Ses mains sont : ....

ÉTUDIER LA FONCTION DE CE PASSAGE : UNE FIN ÉDIFIANTE MAIS AMBIGUË

16. Quel objet, apparu au chapitre premier, sauve Henrich des griffes du diable ?

17. La situation finale est-elle annoncée dès le chapitre premier ?

18. D'après ce chapitre, l'art théâtral est diabolique. Cette conclusion était-elle annoncée par certains des propos tenus par Katy dans le chapitre premier ?

19. Expliquez la morale du récit. La partagez-vous ?

LIRE L'IMAGE

20. Regardez attentivement les deux scènes de Goya et de Callot, présentées aux pages 109 et 111.
a) Dans chaque scène, comment se distinguent personnage principal et personnages secondaires ?
b) Les romantiques admiraient le caractère « expressif » de ces deux peintres. L'attitude et l'expression du visage des personnages de ces œuvres permettent-elles de dire pourquoi ?
c) De ces deux œuvres, laquelle est fantastique, laquelle est réaliste ? Appuyez votre réponse sur des éléments précis.

21. Identifiez le Diable dans la gravure (p. 115) et dites ce qui permet de le reconnaître.

À VOS PLUMES !

22. Vous jouez un rôle à la représentation théâtrale du club théâtre de votre collège. Après la représentation, le personnage que vous jouiez apparaît. Que vous dit-il et que lui répondez-vous ? Précisez le rôle dont il s'agit et rédigez ce dialogue.

Retour sur l'œuvre

LES LIEUX, LA NARRATION, L'ÉPOQUE

1. Quelle est l'époque historique évoquée par les décors d'*Omphale* et de *La Cafetière* ?

2. Les lieux, la narration et l'époque.

a) Toutes les nouvelles sont racontées à la première personne, sauf deux. Lesquelles ?

b) L'action principale* de toutes les nouvelles est contemporaine de l'époque de rédaction (la monarchie de Juillet), sauf une. Laquelle ?

c) L'action principale de deux nouvelles seulement est située à Paris. Lesquelles ?

d) Où est située l'action principale de chacune des trois autres nouvelles ?

3. L'un de ces pays et l'une de ces époques n'apparaissent pas dans les nouvelles de ce recueil. Identifiez-les.

a) Pays : Égypte, Autriche, France, Norvège, États-Unis.

b) Époque : Régence, Restauration, temps des pharaons, Moyen Âge, règne de Louis XIV.

***action principale* : lorsque le narrateur est dans la réalité, pas lorsqu'il est en train de vivre l'épisode fantastique.**

LE FANTASTIQUE

4. Les procédés fantastiques : reliez chaque procédé fantastique à la nouvelle correspondante (une nouvelle peut cumuler plusieurs procédés, un procédé peut s'appliquer dans plusieurs nouvelles).

Procédés	Nouvelles
• Animation d'objets	• *La Cafetière*
• Ressusciter une personne morte	• *Omphale*
• Faire apparaître le diable	• *Le Chevalier double*
• Animation du personnage d'un tableau	• *Le Pied de momie*
• Dédoublement de personnalité	• *Deux Acteurs pour un rôle*

5. Les indices du fantastique.

a) À la fin de la nouvelle *Le Pied de momie*, quel objet, sur le bureau du narrateur, atteste la réalité du passage de la princesse Hermonthis ?

☐ une béquille
☐ une sandale
☐ une mèche de cheveux
☐ une carte de visite
☐ une statuette

b) Dans la nouvelle *La Cafetière*, quels détails attestent que le narrateur n'a pas seulement rêvé ? Que dessine-t-il à la fin de la nouvelle ?

c) Dans la nouvelle *Omphale*, quelles traces la marquise de T★★★ laisse-t-elle de son passage ?

d) Dans la nouvelle *Deux Acteurs pour un rôle*, quelles traces le diable laisse-t-il de son passage ?

MOTS CROISÉS

6. Complétez cette grille.

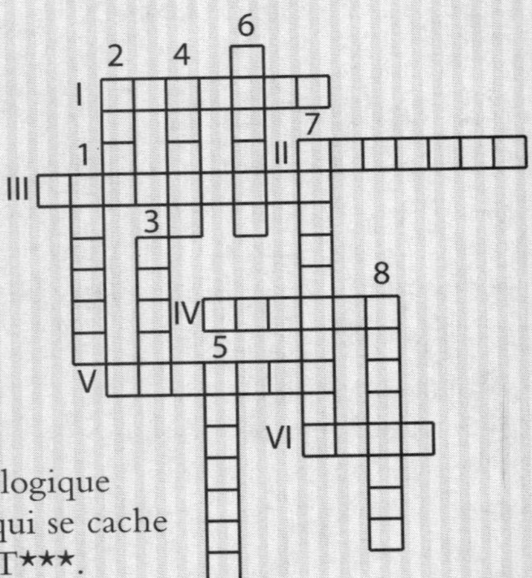

Horizontalement

I) Personnage mythologique sous l'apparence de qui se cache la belle marquise de T★★★.

II) Le mari de la précédente.

III) Je séduis le narrateur avant de me briser en mille morceaux. Qui suis-je ?
IV) Par son amour, elle libère Oluf de son double.
V) Démon à la scène, étudiant en théologie dans la vie.
VI) C'est le plus souvent à ce moment de la journée, ou un peu plus tard encore, que les événements fantastiques se produisent.

Verticalement

1) Bien que morte il y a deux ans, elle danse avec vigueur la nuit.
2) J'ai deux étoiles car je suis double. Quel est mon nom ?
3) Elle est enveloppée de fines bandelettes pour résister aux outrages du temps.
4) Quand on m'ouvre, Omphale s'enfuit. Si je suis de Carinthie je peux aussi donner mon nom à un théâtre. Qui suis-je ?
5) Époque de la galanterie et du style rococo.
6) Katy aimerait bien l'être avec Henrich.
7) Je suis une princesse éternelle et séduisante qui cherche son pied perdu.
8) Pays de la valse, le diable vient y jouer son propre rôle sur la scène d'un théâtre.

VRAI OU FAUX ?

7. Relisez les cinq contes et répondez par vrai ou faux. Attention aux pièges !

a) La Cafetière	**V**	**F**
Le narrateur est peintre.	☐	☐
Le récit a lieu en Bretagne.	☐	☐
Le premier personnage qui sort des tableaux ressemble à Falstaff.	☐	☐
L'hôte s'appelle Arrigo Cohic.	☐	☐

b) Omphale

	V	F
Le narrateur veut devenir conteur fantastique.	☐	☐
Omphale est une statue animée.	☐	☐
C'est l'oncle du narrateur qui met fin aux nuits avec Omphale.	☐	☐
À la fin, c'est un Allemand qui rachète Omphale.	☐	☐

c) Le Chevalier double

	V	F
Edwige est la mère d'Oluf.	☐	☐
Oluf est double car un corbeau a séduit sa mère.	☐	☐
Le comte de Lodbrog offre un jambon et du gibier à l'église de Saint-Euthbert pour remercier de la naissance d'un fils.	☐	☐
Le conte se passe en Suède.	☐	☐
Brenda est la fiancée d'Oluf.	☐	☐

d) Deux Acteurs pour un rôle

	V	F
Le récit commence sur la promenade des Anglais, à Nice.	☐	☐
Henrich devient célèbre en jouant un rôle de roi au théâtre.	☐	☐
Avant de se rendre au théâtre, Henrich va s'amuser dans une auberge avec ses amis.	☐	☐
Le diable apparaît à deux reprises dans le conte.	☐	☐

e) Le Pied de momie

	V	F
La nouvelle commence par la description d'une boutique d'antiquités tenue par un antiquaire étrange.	☐	☐

	V	F
Le narrateur achète une casserole, qui se transforme ensuite en momie.	☐	☐
En rentrant chez lui, le narrateur est d'abord frappé par l'odeur des huiles à embaumer.	☐	☐
Le narrateur demande la main d'une momie vieille de 3 000 ans.	☐	☐

RETROUVEZ LE CONTE

8. Remettez ces propositions dans l'ordre et donnez le titre du conte correspondant.

Titre du conte :

a) Un bruit et l'arrivée du domestique la font fuir.

b) Elle revient chaque nuit.

c) Averti par la mine fatiguée de son neveu, l'oncle décroche la tapisserie et le renvoie chez lui.

d) Quelques années après, le narrateur retrouve la tapisserie dans une brocante, mais un Anglais l'achète à sa place.

e) Le narrateur s'installe à Paris chez son oncle.

f) La nuit, une femme descend de la tapisserie de sa chambre.

9. Même exercice.

Titre du conte :

a) Un garçon naît, l'astrologue du château découvre qu'il a deux étoiles, une bonne, verte comme l'espérance, et une mauvaise, rouge comme l'enfer.

b) Dans la forêt, il croise un chevalier qui est son double mais rouge.

c) Un jour il se rend à cheval chez Brenda, sa fiancée, qui l'éconduit parce qu'il est venu chez elle accompagné.

d) Brenda l'accueille à bras ouverts.
e) Un châtelain et sa châtelaine attendent un fils.
f) Oluf, le chevalier, emmène Brenda dans son château.
g) L'enfant grandit : il est lunatique, parfois doux et calme, parfois sombre et violent.
h) Dans le ciel l'étoile rouge a disparu.
i) Un chanteur de Bohême vient et ensorcelle par son regard la future mère.
j) Il le combat et obtient la victoire.

10. Complétez ce résumé et donnez le titre du conte.

Un .... est reçu avec deux amis dans une propriété en ....
Sa chambre lui paraît un nouveau monde, elle évoque l'époque de la .... et semble habitée. Au moment où il s'endort, une .... se déplace et sert le .... Un personnage descend de son .... et ouvre les tableaux dont les personnages descendent à leur tour.
Ils prennent un café puis se mettent à .... À la fin du bal, le narrateur découvre une .... à l'écart et .... avec elle. Angéla se sent ensuite fatiguée et tombe. Il ne reste au narrateur qu'une .... brisée entre les bras.
Il .... Ses amis le réveillent, ils vont déjeuner. Il dessine sans y penser la ...., puis s'aperçoit qu'il dessine en réalité la .... rencontrée en rêve. Celle-ci est la .... de leur hôte, ... il y a deux ans au retour d'un bal.

Dossier
Bibliocollège

Schéma narratif

Le propre du récit fantastique est de faire hésiter le lecteur, de le placer dans une situation où il ne peut que douter et où il lui est impossible de savoir avec certitude si les événements surnaturels qu'il vient de lire ont réellement eu lieu ou non. Ce sentiment vertigineux de doute résulte du fait que certains éléments du récit favorisent l'interprétation rationnelle (par exemple le narrateur dit

Titres	Cadre réaliste (lieu/époque)	Cadre fantastique (lieu/époque)	Événements surnaturels
La Cafetière	• Une propriété en Normandie. • Monarchie de Juillet.	• Même lieu. • La Régence, XVIIIe siècle.	• Animation d'objets et de tableaux. • Retour à la vie d'une morte.
Omphale	• Une maison noble à Paris. • Quelques années avant la monarchie de Juillet.	• Même lieu. • La Régence, XVIIIe siècle.	• Animation de tableau. • Retour à la vie d'une morte.
Le Chevalier double	• Un pays nordique (la Norvège). • Époque moyenâgeuse.	Lieu et époque identiques.	• Filiation par le regard. • Dédoublement de personnalité.
Deux Acteurs pour un rôle	• Vienne en Autriche. • Époque de l'auteur.	Lieu et époque identiques.	• Apparition du Diable. • Un personnage traverse le planch
Le Pied de momie	• Une boutique, puis la chambre du narrateur, à Paris. • Monarchie de Juillet.	• D'abord même lieu, puis tombeau des pharaons. • Égypte ancienne.	• Animation d'objet. • Apparition d'une princesse égyptienne mort voyage dans l'espace et le temps.

lui-même qu'il ne peut qu'avoir rêvé), tandis que d'autres, au contraire, privilégient l'interprétation irrationnelle (il reste une trace matérielle du « rêve » du narrateur, par exemple).

Ce tableau relève les éléments narratifs de chacun des contes en distinguant ceux qui privilégient l'explication réaliste et rationnelle et ceux qui poussent à une interprétation surnaturelle du récit.

DURÉE DU RÉCIT	TYPE D'ÉNONCIATION	INTERPRÉTATION RATIONNELLE PROPOSÉE	INDICES DE LA RÉALITÉ DE L'ÉVÉNEMENT SURNATUREL
Une nuit et un jour.	Récit à la première personne.	Le narrateur a rêvé, le récit s'interrompt à son réveil.	Le costume du narrateur, la cafetière cassée et le dessin final du narrateur.
Plusieurs nuits, puis plusieurs années après.	Récit à la première personne. Le narrateur énonce une moralité à la fin.	Le narrateur a rêvé, mais aussi valeur allégorique du récit.	Les fils cassés de la tapisserie, à l'endroit des pieds d'Omphale.
Le récit dure vingt ans. L'épisode fantastique (le combat) un jour.	Récit à la troisième personne. Le narrateur énonce une moralité à la fin.	Le récit a une valeur allégorique et symbolique.	Aucun.
Plusieurs soirées.	Récit à la troisième personne.	Pas d'explication proposée.	Les blessures d'Henrich.
Une nuit.	Récit à la première personne.	Le narrateur a rêvé, le récit s'interrompt à son réveil.	La momie a laissé une statuette sur le bureau.

Il était une fois Théophile Gautier

Journaliste et voyageur, l'auteur du *Capitaine Fracasse* est aussi un poète, un conteur, un historien et un essayiste qui a joué un rôle essentiel dans la vie littéraire de son siècle. « *Un bon esprit et un bon cœur de moins* », note ainsi Victor Hugo lors de sa mort en 1872.

Dates clés

1811 : naissance de Théophile Gautier.

1822 : début des études au collège Charlemagne. Rencontre de Nerval.

1829 : rencontre de Victor Hugo.

25 février 1830 : Gautier est au premier plan de la « bataille d'*Hernani* ».

Une jeunesse romantique

Né en 1811 à Tarbes, dans une famille aisée et lettrée, Théophile Gautier fait ses études à Paris au collège Charlemagne. Ses professeurs notent l'originalité de ses goûts : il professe une grande aversion pour les classiques, à qui il préfère Villon et Rabelais. Il y rencontre Gérard de Nerval, qui restera son ami et son complice en littérature jusqu'à sa mort en 1855, et qui le présente à Victor Hugo, chef reconnu de la « nouvelle littérature ». En 1830, le 25 février, Gautier se fait remarquer à la première représentation d'*Hernani* par sa tenue : gilet rouge, cheveux longs, chapeau à larges bords, gants jaunes. À une époque où les hommes s'habillent de couleurs sombres, cette extravagance est un manifeste en faveur de la nouvelle école. Pendant ces années, il hésite entre la peinture et la poésie, qui l'emporte finalement, puisqu'il publie ses *Poésies* le 28 juillet 1830. Mais cette parution est éclipsée par la révolution de Juillet, qui ruine aussi le père de Théophile et contraint ce dernier à gagner sa vie.

UN HOMME EN VUE ET UN FORÇAT DU JOURNALISME

Gautier est très tôt en prise sur la vie littéraire. Dès 1830, il participe aux rencontres du groupe d'artistes et d'écrivains romantiques du « Petit Cénacle* », avant de s'installer impasse du Doyenné (dans l'enceinte du Louvre, place du Carrousel), dans le même immeuble que Gérard de Nerval, l'écrivain Arsène Houssaye et le peintre Camille Rougier, dont le salon, somptueusement décoré, sert sans doute de modèle pour *Omphale* et *La Cafetière*. Les quatre amis reçoivent de nombreuses visites et la confrérie est comme un nouveau cénacle. Après plusieurs articles dans diverses revues, Gautier commence, en 1836, une collaboration avec Émile de Girardin, l'influent directeur de *La Presse*. Dès 1837, il y tient le feuilleton théâtral hebdomadaire ; c'est un travail rémunérateur mais harassant. Jusqu'en 1855, Gautier écrit plus de 1 200 articles pour *La Presse*, ensuite il travaillera pour *Le Moniteur universel*, journal officiel de l'empire.

Ces travaux, tout en plaçant Gautier au centre de la vie littéraire de son siècle, nuisent à l'épanouissement de son œuvre : *« il ne fera jamais rien parce qu'il est dans le journalisme »*, écrit ainsi Balzac en 1838.

Vocabulaire

cénacle : réunion de gens de lettres ou d'artistes.

Dates clés

1831 : premiers récits en prose, *Un repas au désert de l'Égypte* et *La Cafetière*.

1834 : *Omphale*.

LE MAÎTRE À PENSER DE LA GÉNÉRATION DE 1850

Gautier dément cependant la sombre prédiction de Balzac. Très tôt il choisit une voie propre et s'éloigne de l'esthétique romantique. En 1833, le recueil de « romans goguenards » *Les Jeunes-France* se moque des poses romantiques. En 1835, la préface de son roman

Mademoiselle de Maupin affirme et revendique la liberté en art. *Émaux et Camées*, en 1852, illustre les idées du Parnasse, mouvement qui pratique l'art pour l'art, la beauté pour elle-même comme une fin en soi.
Les vers ciselés de la préface de son recueil l'affirment : « *Sans prendre garde à l'ouragan / Qui fouettait mes vitres fermées, / Moi, j'ai fait* Émaux et Camées. » Le jeune romantique flamboyant et chahuteur a laissé la place à un artiste à l'esthétique maîtrisée.
En 1857 la dédicace des *Fleurs du mal* de Charles Baudelaire (né en 1821) est le plus éclatant témoignage de l'admiration des jeunes poètes pour l'art de cet aîné : « *Au poète impeccable, au parfait magicien ès lettres françaises, à mon très cher et très vénéré maître et ami Théophile Gautier.* » C'est aussi l'année de parution du *Roman de la momie*. Cette évocation très précise de l'Égypte, où l'auteur ne se rend qu'en 1869, témoigne du grand talent de description de Gautier et de la puissance de son imagination.

Dates clés

1840 : *Le Pied de momie, Le Chevalier double.*

1841 : *Deux Acteurs pour un rôle.*

1845 : voyage en Algérie.

Des amours et des voyages

La Belgique, en 1836, est la première destination de Théophile, l'Égypte, la dernière, en 1869. Pendant les trente-trois années qui séparent ces deux voyages, Gautier visite successivement l'Espagne, Londres et l'Angleterre, l'Algérie, l'Italie, Constantinople puis la Russie.
Grand voyageur et, comme ses contemporains, amateur d'exotisme, Gautier revient d'Algérie en 1845 « *vêtu en Arabe, coiffé du fez, chargé de burnous* », comme l'écrit Sainte-Beuve. Son enthousiasme est si grand qu'il songera, en 1848, à s'y exiler pour fuir la République.

Ses voyages sont souvent des « déplacements professionnels », parfois commandités par un éditeur ou un journal. Gautier en revient toujours avec des livres ou des articles.
Comme ses voyages, les liaisons amoureuses de Gautier ont partie liée avec son métier. Les liaisons légères de l'époque de l'impasse du Doyenné se concluent par la naissance d'un fils, Théophile, en 1836. Mais dans la vie amoureuse de notre auteur, l'empreinte la plus forte est celle des deux sœurs Grisi. Il fait leur connaissance alors qu'il exerce son activité de critique théâtral à la fin des années 1830 et ne les quittera plus jusqu'à la fin de sa vie.
Théophile tombe amoureux de Carlotta, la cadette, qu'il voit danser au théâtre de la Renaissance en 1840. Il écrit pour elle le ballet *Giselle*, inspiré des willis (voir *Le Chevalier double*, note 2, p. 52), mais c'est avec Ernesta, l'aînée, qui est cantatrice, qu'il a d'abord une liaison et deux filles : Judith en 1845 et Estelle en 1847.
En 1866, il rompt avec Ernesta et se lie avec Carlotta… Il passe avec elle ses dernières années, assez sombres. Écrivain officiel de l'empire, il prend la fuite à l'avènement de la IIIe République en 1870. Cependant, Victor Hugo, revenu d'exil, le soutient et lui obtient une pension, quelques mois avant sa mort, dans sa maison de Neuilly, le 23 octobre 1872.

Dates clés

1852 : *Émaux et Camées.*

1855 : il collabore au *Moniteur universel.*

1857 : *Le Roman de la momie.*

1863 : *Le Capitaine Fracasse.*

1869 : voyage en Égypte.

1872 : mort de Gautier.

Le XIXe : un siècle de révolutions

Une époque agitée par des conflits politiques et esthétiques

• De l'Empire à la République

Gautier naît en 1811, sous l'Empire, et meurt en 1872, sous la IIIe République. Six régimes se succèdent au cours de sa vie :
– le premier Empire (1804-1815) ;
– la Restauration (1815-1830) ;
– la monarchie de Juillet (1830-1848) ;
– la IIe République (1848-1852) ;
– le second Empire (1852-1870) ;
– la IIIe République (1870-1939).

Cette alternance de régimes autoritaires (monarchies et empires) et de républiques témoigne de la « grande affaire » du XIXe siècle : la lutte acharnée entre les partisans des idées révolutionnaires de 1789 et ceux d'une « restauration » de la monarchie.

Les écrivains et les artistes de cette époque participent à ce débat politique, qui se superpose souvent à des oppositions esthétiques. D'abord royalistes (y compris Victor Hugo dans sa jeunesse), les romantiques, déçus par la médiocrité bourgeoise de la monarchie de Juillet et scandalisés par son indifférence aux malheurs du peuple, épousent ensuite la cause républicaine. De nombreuses œuvres du romantisme social dénoncent la misère et les injustices et proposent des moyens pour y remédier (*Les Mystères de Paris* d'Eugène Sue, 1842 ; *Les Misérables* de Victor Hugo, 1862).

Dates clés

18 juin 1815 : défaite de Napoléon à Waterloo, fin du premier Empire. Selon Hugo, cette défaite marque le début du XIXe siècle.

1830 : début de la monarchie de Juillet.

1852 : début du second Empire.

• Séparer l'art et la politique

Gautier suit une autre voie. Il est du côté des artistes favorables à la monarchie et qui soutiennent le second Empire. Il sera ensuite l'un des fondateurs de l'école du Parnasse, un groupe d'écrivains aujourd'hui un peu oubliés qui prônaient un art indépendant des contingences politiques et sociales : « l'art pour l'art ». Il s'agissait surtout d'échapper aux pesanteurs de l'art officiel, académique et utilitaire, promu par le second Empire comme par la IIIe République.
Les nouvelles du présent recueil, toutes écrites pendant la monarchie de Juillet, témoignent de cette tendance. À l'exception du *Chevalier double*, elles mettent en scène un narrateur contemporain de cette époque et qui présente un profil similaire : jeune, très cultivé, élégant et insouciant, plus occupé d'art et d'amour que de politique. En un mot, il ressemble à s'y méprendre aux artistes dandys* de l'époque de rédaction (1831 à 1842).

Vocabulaire

dandy :
ce mot anglais, introduit en 1817, désigne un homme très soucieux de l'élégance de son costume et de ses manières. Au XIXe siècle, le dandysme est une manière d'être artiste.

LA VIE ARTISTIQUE ET LITTÉRAIRE

Malgré ces clivages, écrivains et artistes se retrouvent dans les journaux et les salons ; c'est l'apparition d'une « république des lettres », c'est-à-dire d'un milieu artistique et littéraire plus ou moins indépendant des milieux politique et économique.

• L'essor de la presse

Au XIXe siècle, la presse prend peu à peu sa physionomie moderne : professionnalisation, rapidité de fabrication et de diffusion, augmentation des tirages (de quelques centaines d'exemplaires au début du siècle, on passe au million à la fin du siècle), diminution du prix de vente et, enfin, disparition de la censure (loi sur la liberté de la presse de 1881). Cet essor résulte des progrès de l'imprimerie et de l'alphabétisation, due aux lois sur l'enseignement primaire de 1833. La conjugaison de ces facteurs et une baisse du prix de vente des journaux permettent une augmentation significative du nombre des lecteurs.

Par exemple *La Presse*, journal créé par Émile de Girardin en 1836 et auquel collabore Gautier, réunit vingt mille abonnés en dix-huit mois. Un tel lectorat lui permet d'exercer une influence essentielle sur la vie littéraire : la critique peut faire et défaire les succès et les réputations littéraires ; de nombreux écrivains, comme Gautier, écrivent pour les journaux, devenant « journalistes professionnels ». Source de revenus et de notoriété, la presse devient un point de passage obligatoire pour les auteurs. D'ailleurs, les journaux sont souvent leurs premiers éditeurs : les nouvelles de ce recueil ont ainsi toutes paru dans des revues, comme *Le Cabinet de lecture* ou *Le Journal des gens du monde*, avant d'être réunies en volume.

Date clé

1836 : lancement de *La Presse*, premier journal moderne, le 1er juillet.

• Les salons

La fréquentation des « salons » est un autre moyen de se faire connaître et de diffuser ses œuvres. Animés par des écrivains (Hugo, Nodier, un temps Gautier et ses amis) ou des femmes du monde (Mme de Girardin, épouse du patron de *La Presse*), ils réunissent une société choisie d'artistes et d'amateurs. Chaque salon a « son jour », c'est-à-dire qu'il se tient régulièrement, le même jour de la semaine. Chacun, suivant ses affinités et ses opinions, peut venir y échanger des idées.

Ainsi, en 1819, les écrivains conservateurs* se réunissent-ils autour de Victor Hugo qui crée le journal *Le Conservateur littéraire*, tandis que les libéraux* se réunissent autour de Stendhal, un autre écrivain, au salon de Delécluze, qui lance son journal *Le Globe*. Ensuite ces deux groupes se rejoignent et s'allient contre les classiques*. En 1829, Gautier est introduit par son ami Gérard de Nerval au « Cénacle », le salon de Victor Hugo. À partir de 1837, il fréquentera, parmi d'autres, le célèbre salon de son amie Mme de Girardin.

Un siècle d'inquiétudes et de goût pour l'histoire et l'ailleurs

• L'exotisme et l'histoire

Dans les toutes premières années du siècle, les romantiques importent des œuvres et des idées de l'étranger et relisent des écrivains du passé. Comme l'affirme Sismondi* en 1813 : *« D'autres grands hommes ont existé dans d'autres langues. »* Les influences du monde germanique (sensible dans *Deux Acteurs pour un rôle*) et anglo-saxon sont essentielles. Les romantiques trouvent une illustration des agitations de l'âme et de la sensibilité nouvelle dans les œuvres de Heine, Goethe et Schiller, écrivains allemands. Ils imitent l'Écossais Walter Scott (1771-1832), inventeur du roman historique et du merveilleux moyenâgeux (style dont la nouvelle *Le Chevalier double* est un exemple). Bien sûr, on redécouvre Shakespeare (1564-1616), dont la variété est opposée à la platitude et à la monotonie des dramaturges classiques.

Vocabulaire

conservateurs : partisans du maintien de l'ordre établi ; au XIXe siècle, les conservateurs sont partisans du retour à la monarchie.

libéraux : partisans de l'accroissement des libertés individuelles ; au XIXe siècle, ils s'opposent aux monarchistes.

classiques : partisans d'une esthétique fondée sur l'unité de ton, de sujet et de style, opposés aux romantiques, qui préfèrent un style plus varié et plus libre.

Un nom

Sismondi : 1773-1842, historien et économiste suisse, auteur notamment de *De la littérature du midi de l'Europe*, paru en 1813.

Le début du *Pied de momie* donne une idée de l'étendue géographique et chronologique de la curiosité des artistes de cette période. Cette vogue du retour au passé et de la couleur locale* correspond aussi à la redécouverte de l'Orient, avec l'expédition de Champollion en Égypte en 1828, ou encore l'occupation d'Alger par Charles X* en 1830. Elle répond aussi à la volonté des écrivains de varier leurs sources d'inspiration et de les puiser dans le réel, par opposition aux classiques qui s'inspiraient des « anciens », c'est-à-dire des auteurs grecs et latins qu'ils imitaient.

• Les inquiétudes du siècle et le genre fantastique

L'esthétique romantique, par son mouvement, ses contrastes et ses ruptures, retranscrit les inquiétudes d'un siècle qui succède à la déflagration de la Révolution française. Dans une effervescence intellectuelle sans précédent, les œuvres questionnent le monde, la condition humaine et l'histoire. Le romantisme noir, ou « gothique », initié en France par Charles Nodier* et Pétrus Borel*, traduit ces inquiétudes par ses stéréotypes*. Les châteaux isolés dans des paysages nocturnes et inquiétants, les héros du mal, les cauchemars et les assassinats qui s'y multiplient sont comme l'image des soubresauts et des dangers du siècle.

L'époque est aussi celle du triomphe de l'industrie, des marchands et de la science positive, qui ne croit que ce qu'elle voit, que ce qu'elle peut vérifier par l'expérience. Auguste Comte publie son *Cours de philosophie positive*, de 1835 à 1842, qui préfère l'observation empirique des phénomènes aux grands

Quelques noms

Charles X : roi de France de 1824 à 1830.

Charles Nodier : auteur de *Contes*, 1822-1844.

Pétrus Borel : auteur de *Champavert*, 1844.

Vocabulaire

couleur locale : ensemble de procédés de style qui donnent l'idée du pays dont on parle.

stéréotype : cliché, modèle imité et répété.

élans poétiques. Le genre fantastique, par ses thèmes et ses mystères, permet d'illustrer les puissances de l'esprit et de s'opposer à l'arrogance triomphante du positivisme bourgeois et commerçant.
Pratiqué par presque tous les écrivains importants du XIXe siècle, ce genre leur permet d'exprimer discrètement des aspirations contenues à la spiritualité au milieu d'un siècle foncièrement matérialiste et marchand.

Dates clés

1824 : Champollion perc le secret de la pierre de Rosette et déchiffre les hiéroglyphes.

1828 : expédition de Champollion en Égypte.

1830 : Charles X occupe Alger.

Nouvelles et contes fantastiques

LE RÉCIT FANTASTIQUE

• L'hésitation et le doute

Le propre du récit fantastique est de faire hésiter le lecteur sur la nature des événements racontés : se sont-ils réellement produits ou bien ont-ils été rêvés par le narrateur, ou encore sont-ils le fruit d'hallucinations de la part d'un esprit dérangé ? Pour maintenir le lecteur dans cet état de doute, le récit fantastique commence comme un récit réaliste : son cadre et ses personnages ont toutes les apparences de la vie réelle, jusqu'à ce que survienne un événement qui bouleverse les lois de la nature et qui ne peut être accepté comme réel. Les objets et les tableaux s'animent, ou bien les morts ressuscitent et viennent se mêler aux vivants, ou encore le diable en personne descend sur terre. D'une grande diversité, ces événements surnaturels ont en commun d'être assez inquiétants, voire terrifiants.

• Un frisson terrifiant... et délicieux

Faire peur est la seconde caractéristique du récit fantastique, qui met en scène des événements inexplicables faisant intervenir des forces surhumaines qui peuvent être dangereuses. La terreur qui glace alors le lecteur est l'un des plaisirs de la lecture, comparable, par exemple, à celle que l'on éprouve dans une attraction de fête foraine, d'autant que ce frisson est sans danger, vécu comme par procuration : seul le narrateur prend des risques. Autre effet, la peur amoindrit le sens critique et contribue donc à faire douter le lecteur. En effet, si le lecteur cesse de douter, d'hésiter, il n'a plus affaire à un récit fantastique mais à un récit étrange, ou merveilleux.

• Fantastique, étrange et merveilleux

Ces trois genres mettent en scène des événements surnaturels mais ne doivent pas être confondus ; ils diffèrent par la manière dont on justifie ces faits incroyables.
Dans le genre étrange, une explication rationnelle est finalement donnée (par exemple : il s'agissait d'un rêve, ou bien le narrateur a été victime d'une illusion d'optique…). Ainsi tout rentre dans l'ordre.
Dans le merveilleux, le lecteur accepte d'autres lois naturelles (par exemple : les animaux parlent, les fleurs marchent, les fées existent…) ; on sort donc totalement du cadre réaliste. Souvent les récits de ce type sont destinés à illustrer une leçon morale : c'est le cas des contes de fées ou des fables. *Le Chevalier double* et *Omphale* sont plutôt des récits merveilleux, dans la mesure où ils illustrent une morale, explicitement énoncée à la fin.
En revanche, *La Cafetière*, *Deux Acteurs pour un rôle* et *Le Pied de momie* sont des récits fantastiques à part entière. Dans le fantastique, aucune explication ni moralité n'est donnée ; le lecteur demeure dans un état de doute : le récit ne donne pas d'explication, n'édifie pas, il ébranle, inquiète et dérange.

• Un genre caractéristique d'un siècle inquiet

La littérature fantastique est pratiquée à tous les siècles, mais c'est au XIXe siècle qu'elle est à son apogée.

Le Diable amoureux de Jacques Cazotte, paru en 1772, *Le Horla* et les autres contes fantastiques de Guy de Maupassant, qui datent de 1887-1890, marquent le début et la fin de cette grande époque. Entre ces deux dates presque tous les écrivains importants donnent une œuvre fantastique et s'intéressent au genre.
Les monstres, les mystères, les femmes insaisissables et les esprits en maraude expriment les inquiétudes de ce siècle agité. Ils bousculent aussi les certitudes rationalistes du lecteur. Dans un siècle marchand et matérialiste, la magie du fantastique rappelle les pouvoirs de l'esprit.

NOUVELLE ET CONTE

• La nouvelle

Récit bref, la nouvelle* se caractérise par la rapidité du déroulement de l'intrigue, la brièveté des descriptions et des portraits, un nombre limité de personnages et une construction simple, basée sur un seul point de vue narratif. Contrairement au roman, qui existe dans la durée, la nouvelle est un instantané, une « tranche de vie ».
Du point de vue de l'intensité dramatique, l'ensemble des éléments de la nouvelle converge vers un dénouement, un trait final, qui doit surprendre et frapper le lecteur, « la chute ».
En raison de sa brièveté et de son intensité, la nouvelle est particulièrement adaptée aux exigences de la presse, c'est l'une des raisons du succès de ce récit court au XIXe siècle.

Vocabulaire

nouvelle : récit réaliste court, se terminant par une chute.

• Le conte

Le conte* est un récit d'aventures imaginaires, merveilleuses ou extraordinaires dont la portée est souvent symbolique ou allégorique. D'une manière générale, le récit aboutit alors à une moralité, le plus souvent exprimée de manière explicite à la fin, comme dans les contes de Perrault ou de Grimm.
Contrairement à la nouvelle, le conte n'est pas situé précisément, ni dans l'époque, ni géographiquement, ce qui lui permet de prendre une valeur universelle et éternelle.
On distingue plusieurs types de contes : le conte de fées, basé uniquement sur le merveilleux ; le conte philosophique, très en vogue au XVIIIe siècle, sorte de parabole* qui illustre une idée ; et le conte fantastique. Ce dernier se distingue des précédents en cela qu'il est construit autour d'une antinomie entre naturel et surnaturel, rationnel et irrationnel. *Le Chevalier double* en est un exemple : l'action est située dans un passé indéfini et dans une Norvège plus symbolique que réelle. Le récit fait intervenir un événement surnaturel (le dédoublement physique d'Oluf), produit par une force irrationnelle, l'esprit malfaisant du chanteur de Bohême. L'histoire se termine par une moralité : « *Jeunes femmes, ne jetez jamais les yeux sur les maîtres chanteurs de Bohême.* »
Contrairement à la nouvelle, le conte fantastique ne laisse pas le lecteur dans l'hésitation mais lui impose une lecture, souvent édifiante, de ce qu'il vient de lire ; c'est ce qui différencie nouvelle et conte fantastique.

Vocabulaire

conte : récit court merveilleux se terminant par une morale.

parabole : récit allégorique désignant les histoires exemplaires racontées par Jésus-Christ pour convaincre les premiers chrétiens.

Groupement de textes :

Rencontres et images du diable

Si l'on examine le diable tel que nous l'a légué la tradition chrétienne, il n'est pas surprenant que sa fortune littéraire soit si grande.
En effet, la foi enseigne que les diables sont des anges déchus, ennemis de Dieu et tentateurs des hommes.
À l'origine, les anges sont tous bons, mais certains se sont révoltés alors que Dieu les soumettait à une épreuve

mystérieuse. Pour les punir, Dieu condamna ces « esprits malins » ou « mauvais anges » aux supplices sans fin de l'enfer. Le premier de ces « esprits des ténèbres », chef de la rébellion contre Dieu, est le Diable, ou Lucifer, ou encore Belzébuth ou Satan.
En perdant la grâce de Dieu, ces démons ont toutefois conservé une partie des dons de leur ancienne nature angélique, par lesquels ils demeurent supérieurs aux hommes. Ainsi ils peuvent tenter les hommes et les conduire au mal, ils dominent les pécheurs endurcis et peuvent jeter le trouble, par l'obsession ou la possession, dans l'esprit humain ; enfin, ils peuvent créer des illusions et être à l'origine de prodiges.
Qu'il s'appelle Belzébuth, Satan, Méphistophélès, le Malin ou le Diable, l'ange déchu, symbole du mal, comme de la révolte, est un double ressort pour les écrivains. Par sa dimension symbolique d'abord : l'ennemi du genre humain représente le mal, mais aussi, car il est un insoumis, la liberté humaine. Ses pouvoirs magiques, ensuite, permettent une infinité d'effets fantastiques et merveilleux.
Le diable apparaît dans tous les genres : la poésie, le théâtre et le récit. Il apparaît dans la littérature religieuse, le poème de Victor Hugo, *La Fin de Satan*, en est un bel exemple. Il apparaît aussi dans la littérature philosophique, par exemple à travers le drame de Faust, dont il existe de nombreuses versions – celle de Goethe est la plus célèbre, celle de Valéry la plus ironique. Il est également très présent dans la littérature fantastique, où il peut être terrifiant ou grotesque, comme en témoignent dans leurs contes Erkmann-Chatrian, Nerval et Gripari.

La Fin de Satan

« Depuis quatre mille ans il tombait dans l'abîme » : ainsi commence le récit de *La Fin de Satan* par Victor Hugo, dans lequel il décrit l'ange déchu tombant dans un abîme glacial pendant des siècles. Dans cet extrait du poème, il raconte comment une plume des ailes de l'ange est transformée par Dieu en ange de la liberté.

Victor Hugo (1802-1885), contemporain et ami de Théophile Gautier, est poète, romancier et dramaturge. En visionnaire, il est plus occupé de la signification symbolique que de l'aspect fantastique de la prodigieuse métamorphose (une plume se transforme en femme…) qu'il rapporte.

C'est sans doute pour cela que son poème permet de mieux comprendre l'intérêt des écrivains pour le diable.

Cet ange ricanant, et malheureux, illustre les relations paradoxales du mal et de la liberté.

La Plume de Satan

La plume, seul débris qui restât des deux ailes
De l'archange englouti dans les nuits éternelles,
Était toujours au bord du gouffre ténébreux.
[…]
Tout à coup un rayon de l'œil prodigieux
Qui fit le monde avec du jour, tomba sur elle.
Sous ce rayon, lueur douce et surnaturelle,
La plume tressaillit, brilla, vibra, grandit,
Prit une forme et fut vivante, et l'on eût dit
Un éblouissement qui devient une femme.
Avec le glissement mystérieux d'une âme,
Elle se souleva debout, et, se dressant,
Éclaira l'infini d'un sourire innocent.
Et les anges tremblants d'amour la regardèrent.
Les chérubins jumeaux qui l'un à l'autre adhèrent,
Les groupes constellés du matin et du soir,
Les Vertus, les Esprits, se penchèrent pour voir,

Cette sœur de l'enfer et du paradis naître.
Jamais le ciel sacré n'avait contemplé d'être
Plus sublime au milieu des souffles et des voix.
En la voyant si fière et si pure à la fois,
La pensée hésitait entre l'aigle et la vierge ;
Sa face, défiant le gouffre qui submerge,
Mêlant l'embrasement et le rayonnement,
Flamboyait, et c'était, sous un sourcil charmant,
Le regard de la foudre avec l'œil de l'aurore.
L'archange du soleil, qu'un feu céleste dore,
Dit : – De quel nom faut-il nommer cet ange, ô Dieu ?

Alors, dans l'absolu que l'Être a pour milieu,
On entendit sortir des profondeurs du Verbe
Ce mot qui, sur le front du jeune ange superbe
Encor vague et flottant dans la vaste clarté,
Fit tout à coup éclore un astre : – Liberté.

Victor Hugo, *La Fin de Satan*, « La Plume de Satan »,
écrit en 1860, paru en 1886.

Le mythe de Faust

À l'origine, Faust est un magicien allemand qui vécut entre 1480 et 1540. Dès son vivant la légende s'est emparée de lui. En formant ce personnage mythique qui communique avec les esprits et pactise avec le diable, échangeant son salut contre la jeunesse et la puissance, la légende traduit les inquiétudes spirituelles de la Renaissance[1]. Faust devient ensuite une figure universelle, reprise à chaque époque pour illustrer le refus des limites de la condition humaine.

---

1. Renaissance : transition entre le Moyen Âge et les Temps modernes. Mouvement intellectuel qui débute en Italie au XIVe siècle et s'étend ensuite au reste de l'Europe jusqu'au XVIe siècle.

• Le *Faust* de Goethe

Goethe (1749-1832) a travaillé presque soixante ans à son *Faust*, dont la première partie, publiée en 1808, a été traduite en 1828 par Gérard de Nerval, l'ami de Théophile Gautier. Faust est vieux et désespéré. Alors qu'il veut mettre fin à ses jours, le diable lui rend visite et cherche à le séduire en faisant apparaître devant lui prodiges et merveilles. Il réussit à le convaincre de conclure un pacte que Faust doit signer de son sang.

MÉPHISTOPHÉLÈS – [...] Cesse donc de te jouer de cette tristesse qui, comme un vautour, dévore ta vie. En si mauvaise compagnie que tu sois, tu pourras sentir que tu es homme avec les hommes ; cependant on ne songe pas pour cela à t'encanailler. Je ne suis pas moi-même un des premiers ; mais si tu veux, uni à moi, diriger tes pas dans la vie, je m'accommoderai volontiers de t'appartenir sur-le-champ. Je me fais ton compagnon, ou, si cela t'arrange mieux, ton serviteur et ton esclave.
FAUST – Et quelle obligation devrai-je remplir en retour ?
MÉPHISTOPHÉLÈS – Tu auras le temps de t'occuper de cela.
FAUST – Non, non ! Le diable est un égoïste, et ne fait point pour l'amour de Dieu ce qui est utile à autrui. Exprime clairement ta condition ; un pareil serviteur porte malheur à une maison.
MÉPHISTOPHÉLÈS – Je veux *ici* m'attacher à ton service, obéir sans fin ni cesse à ton moindre signe ; mais, quand nous nous reverrons dans l'*au-delà*, tu devras me rendre la pareille.
FAUST – L'*au-delà* ne m'inquiète guère ; mets d'abord en pièces ce monde-ci, et l'autre paraîtra ensuite. Mes plaisirs jaillissent de cette terre, et ce soleil éclaire mes peines ; que je m'affranchisse une fois de ces dernières, arrive après ce qui pourra. Je n'en veux point apprendre davantage. Peu m'importe que, dans l'avenir, on aime ou haïsse, et que ces sphères aient aussi un dessus et un dessous.
MÉPHISTOPHÉLÈS – Dans un tel esprit tu peux te hasarder : engage-toi ; tu verras ces jours-ci tout ce que mon art peut procurer de plaisir ; je te donnerai ce qu'aucun homme n'a pu même encore entrevoir.

FAUST – Et qu'as-tu à donner, pauvre démon ? L'esprit d'un homme en ses hautes inspirations fut-il jamais conçu par tes pareils ? Tu n'as que des aliments qui ne rassasient pas ; de l'or rouge, qui sans cesse s'écoule des mains comme le vif-argent ; un jeu auquel on ne gagne jamais ; une fille qui jusque dans mes bras fait les yeux doux à mon voisin ; l'honneur, belle divinité qui s'évanouit comme un météore. Fais-moi voir un fruit qui pourrisse avant de tomber, et des arbres qui tous les jours se couvrent d'une verdure nouvelle.
MÉPHISTOPHÉLÈS – Une pareille entreprise n'a rien qui m'étonne, je puis t'offrir de tels trésors. Pourtant, mon bon ami, le temps viendra aussi où nous pourrons, en tout repos, savourer quelque chose qui nous plaise.
FAUST – Si jamais, calmé, je puis m'étendre sur un lit de repos, que c'en soit fait de moi à l'instant ! Si tu peux me flatter au point que je me plaise à moi-même, si tu peux m'abuser par des jouissances, que ce soit pour moi le dernier jour ! Je t'offre le pari !
MÉPHISTOPHÉLÈS – Tope !
FAUST – Et tope ! Si je dis à l'instant : « Reste donc ! tu me plais tant ! » alors tu peux m'entourer de liens ! Alors, je consens à m'anéantir ! Alors la cloche des morts peut résonner, alors tu es libre de ton service… Que l'horloge s'arrête, que l'aiguille tombe, que le temps n'existe plus pour moi !
MÉPHISTOPHÉLÈS – Penses-y bien, nous ne l'oublierons pas !
FAUST – Tu en as pleinement le droit, je ne me suis pas frivolement engagé ; sitôt que je m'attarde, je suis esclave, qu'importe que ce soit de toi ou de tout autre ?
MÉPHISTOPHÉLÈS – Je vais donc aujourd'hui même, au banquet des docteurs, remplir mon rôle de valet. Un mot encore : en cas de vie ou de mort, je demande pour moi une couple de lignes.
FAUST – Il te faut aussi un écrit, pédant ? Ne sais-tu pas ce que c'est qu'un homme, ni ce que la parole a de valeur ? N'est-ce pas assez que la mienne doive, pour l'éternité, disposer de mes jours ? Quand le monde s'agite de tous les orages, crois-tu qu'un simple mot d'écrit soit une obligation assez puissante ?… Cependant, une telle chimère nous tient toujours au cœur, et qui pourrait s'en affranchir ? Heureux qui porte sa foi pure au fond de son cœur, il n'aura regret d'aucun sacrifice ! Mais un parchemin écrit et cacheté est un épouvantail pour tout le monde, le serment va

expirer sous la plume ; et l'on ne reconnaît que l'empire de la cire et du parchemin. Esprit malin, qu'exiges-tu de moi ? airain, marbre, parchemin, papier ? Faut-il écrire avec un style, un burin, ou une plume ? Je t'en laisse le choix libre.
MÉPHISTOPHÉLÈS – À quoi bon tout ce bavardage ? pourquoi t'emporter avec tant de chaleur ? Il suffira du premier papier venu. Tu te serviras pour signer ton nom d'une petite goutte de sang.
FAUST – Si cela te satisfait pleinement, passons-en par ces simagrées.
MÉPHISTOPHÉLÈS – Le sang est un suc tout particulier.

Johann Wolfgang von Goethe, *Faust*, scène du cabinet de travail, 1808, trad. Gérard de Nerval, 1828.

• Mon Faust de Paul Valéry

Paul Valéry (1871-1945) revisite avec humour et d'une manière très personnelle le vieux mythe de Faust. Les termes du contrat sont inversés : c'est ici Faust qui propose un marché à un diable dévalorisé, dont il se moque. De manière ironique ce dialogue donne une excellente explication des pouvoirs et des limites du diable… qui finira tout de même par envoyer Faust en enfer !

FAUST – Tu peux me servir en quelque chose.
MÉPHISTOPHÉLÈS – Je le sais bien. On ne pense jamais à moi d'une pensée désintéressée. C'est là le triste sort de toutes les puissances véritables. On nous prend pour des domestiques affectés aux besognes difficiles qui demandent des talents extra-naturels… On invoque les saints, on évoque le diable : on n'y regarde pas de si près. Pourvu que les gens se tirent d'affaire, ils ne s'inquiètent pas si le secours leur vient d'en haut ou bien d'en bas.
FAUST – C'est juste. L'homme est à mi-chemin des deux. Mais je n'ai pas fini. Je voudrais me servir de toi ; mais dans une entreprise assez différente de toutes celles où l'on t'emploie en général.
MÉPHISTOPHÉLÈS – Le mal est bon à tout.
FAUST – Attends ! Je voudrais me servir de toi, mais te rendre peut-être un certain service.
MÉPHISTOPHÉLÈS – À moi ?
FAUST – Écoute. Je ne puis te cacher que tu ne tiens plus dans

le monde la grande situation que tu occupais jadis.
MÉPHISTOPHÉLÈS – Penses-tu ?…
FAUST – Je t'assure… Oh je ne parle pas de ton chiffre d'affaires, ni même des bénéfices nets. Mais le crédit, la considération, les honneurs…
MÉPHISTOPHÉLÈS – Peut-être, peut-être…
FAUST – Tu ne fais guère peur. L'Enfer n'apparaît plus qu'au dernier acte. Tu ne hantes plus les esprits des hommes de ce temps. Il y a bien quelques petits groupes d'amateurs et des populations arriérées… Mais tes méthodes sont surannées, ta physique ridicule…
MÉPHISTOPHÉLÈS – Et tu t'es mis en tête de me rajeunir, peut-être ?
FAUST – Pourquoi pas ? Chacun son tour.
MÉPHISTOPHÉLÈS – Tentateur…
FAUST – Je veux surtout te divertir un peu. C'est le moyen que j'ai trouvé de me distraire un peu moi-même. Nous ferions échange de pouvoirs.
MÉPHISTOPHÉLÈS – Ceci me passe. Tu oses prétendre que je puisse avoir besoin de toi ?
FAUST – Je sais ce que je dis. Tu es dans l'Éternité, mon Diable, et tu n'es qu'un esprit. Tu n'as donc point de pensée. Tu ne sais ni douter ni chercher. Au fond, tu es infiniment simple. Simple comme un tigre, qui est tout puissance de proie, et se réduit à un instinct de ravisseur. Il doit tout aux moutons et aux chèvres : ses muscles et ses crocs, ses ruses et sa formidable patience. Il n'y a rien de plus en toi, Mangeur d'âmes qui ne sais pas les déguster ! Tu ne te doutes même pas qu'il y a bien autre chose dans le monde que du Bien et du Mal. Je ne te l'explique pas. Tu serais incapable de me comprendre. Je te dis seulement que tu peux avoir besoin de quelqu'un qui pense et réfléchisse pour toi. L'esprit pur, même impur, en est tout à fait incapable.
MÉPHISTOPHÉLÈS – On ne m'a jamais parlé sur ce ton-là. Du moins, depuis… fort longtemps. Tu dis que je suis incapable de pensée, moi qui pénètre toutes les vôtres…
FAUST – Non. Tu te meus comme la foudre sur les plus courts chemins de la nature humaine. Ce sont les voies du Mal.

Paul Valéry, *Mon Faust*, « Lust ou la demoiselle de cristal, comédie », Gallimard, 1941.

UN AIR DIABOLIQUE

La figure du diable est souvent utilisée par les écrivains comme un épouvantail. Ainsi, dans *La Montre du doyen*, Erckmann (1822-1899) et Chatrian (1826-1890) prêtent les caractéristiques physiques du diable à une apparition nocturne pour la rendre encore plus terrifiante pour le narrateur et le lecteur.

Vers deux heures du matin, je fus éveillé par un bruit inexplicable ; je crus d'abord que c'était un chat courant sur les gouttières ; mais ayant mis l'oreille contre les bardeaux, mon incertitude ne fut pas longue : quelqu'un marchait sur le toit. Je poussai Wilfrid du coude pour l'éveiller.

– Chut ! fit-il en me serrant la main.

Il avait entendu comme moi. La flamme jetait alors ses dernières lueurs, qui se débattaient contre la muraille décrépite. J'allais me lever, quand, d'un seul coup, la petite fenêtre, fermée par un fragment de brique, fut poussée et s'ouvrit : une tête pâle, les cheveux roux, les yeux phosphorescents, les joues frémissantes, parut…, regardant à l'intérieur. Notre saisissement fut tel que nous n'eûmes pas la force de jeter un cri. L'homme passa une jambe, puis l'autre, par la lucarne, et descendit dans notre grenier avec tant de prudence, que pas un atome ne bruit sous ses pas.

Cet homme, large et rond des épaules, court, trapu, la face crispée comme celle d'un tigre à l'affût, n'était autre que le personnage bonasse qui nous avait donné des conseils sur la route de Heidelberg. Que sa physionomie nous parut changée alors ! Malgré le froid excessif, il était en manches de chemise ; il ne portait qu'une simple culotte serrée autour des reins, des bas de laine et des souliers à boucle d'argent. Un long couteau taché de sang brillait dans sa main.

Wilfrid et moi nous nous crûmes perdus… Mais lui ne parut pas nous voir dans l'ombre oblique de la mansarde, quoique la flamme se fût ranimée au courant d'air glacial de la lucarne. Il s'accroupit sur un escabeau et se prit à grelotter d'une façon bizarre… Subitement ses yeux, d'un vert jaunâtre, s'arrêtèrent sur moi…, ses narines se dilatèrent…, il me regarda plus d'une longue minute… Je n'avais plus une goutte de sang dans les veines ! Puis, se retournant vers le poêle, il toussa d'une voix rauque, pareille à celle d'un chat, sans qu'un seul muscle de sa face tressaillît. Il tira du gousset de sa culotte une grosse montre, fit le geste d'un homme qui regarde l'heure, et, soit distraction ou tout autre motif, il la déposa sur la table. Enfin, se levant comme incertain, il considéra la lucarne, parut hésiter, et sortit, laissant la porte ouverte tout au large.

Émile Erckmann et Alexandre Chatrian (dits Erckmann-Chatrian),
La Montre du doyen, 1859.

Deux petits diables grotesques

Gérard de Nerval (1808-1855) et Pierre Gripari (1925-1990) proposent deux diables comiques.

• *Le Monstre vert*

Dans ce conte, Nerval prétend, dès la première phrase, qu'il va *« parler d'un des plus anciens habitants de Paris »*, celui *« qu'on appelait autrefois le diable Vauvert »*. Ainsi, Nerval raconte la naissance de ce petit diable, fils d'un sergent de ville et d'une couturière. Ils enfantent un diable car ils ont bu pendant leurs noces une bouteille prise par le sergent dans une cave où le diable lui était apparu sous la forme d'une femme sanglante… Cette variation sur l'expression « aller au diable Vauvert » (c'est-à-dire très loin) montre un diablotin si caricatural qu'il est finalement plus amusant qu'inquiétant.

Le jour de la noce du sergent, qui eut lieu à la Rapée, il mit la fameuse bouteille au cachet vert entre lui et son épouse, et affecta de ne verser de ce vin qu'à elle et à lui.

La bouteille était verte comme ache[1], le vin était rouge comme sang.

Neuf mois après, la couturière accouchait d'un petit monstre, entièrement vert, avec des cornes rouges sur le front.

Et maintenant, allez, ô jeunes filles ! allez-vous-en danser à la Chartreuse… sur l'emplacement du château de Vauvert !

Cependant, l'enfant grandissait, sinon en vertu, du moins en croissance. Deux choses contrariaient ses parents : sa couleur verte, et un appendice caudal qui semblait n'être d'abord qu'un prolongement du coccyx, mais qui peu à peu prenait les airs d'une véritable queue.

On alla consulter les savants qui déclarèrent qu'il était impossible d'en opérer l'extirpation sans compromettre la vie de l'enfant. Ils ajoutèrent que c'était un cas assez rare, mais dont on trouvait des exemples cités dans Hérodote[2] et dans Pline le Jeune[3]. On ne prévoyait pas alors le système de Fourier[4].

Pour ce qui était de la couleur, on l'attribua à une prédominance du système bilieux. Cependant, on essaya de plusieurs caustiques pour atténuer la nuance trop prononcée de l'épiderme, et l'on arriva, après une foule de lotions et frictions, à l'amener tantôt au vert bouteille, puis au vert d'eau, et enfin au vert pomme. Un instant, la peau sembla tout à fait blanchir ; mais, le soir, elle reprit sa teinte.

Le sergent et la couturière ne pouvaient se consoler des chagrins que leur donnait ce petit monstre, qui devenait de plus en plus têtu, colère et malicieux.

La mélancolie qu'ils éprouvèrent les conduisit à un vice trop commun parmi les gens de leur sorte. Ils s'adonnèrent à la boisson.

Seulement, le sergent ne voulait jamais boire que du vin cacheté de rouge, et sa femme que du vin cacheté de vert.

---

1. *ache* : famille de plantes ombellifères herbacées dont font partie le céleri à côtes et le céleri-rave.

2. *Hérodote* : historien grec du Ve siècle avant J.-C., considéré comme le père de l'histoire.

3. *Pline le Jeune* : écrivain et avocat latin du Ier siècle après J.-C. Nerval le confond sans doute avec son père, Pline l'Ancien, auteur d'une *Histoire naturelle*.

4. *système de Fourier* : Charles Fourier (1772-1837) est un philosophe, inventeur d'une théorie socialiste utopique, fondée sur le Phalanstère, qui associe les travailleurs en une sorte de coopérative.

Chaque fois que le sergent était ivre mort, il voyait dans son sommeil la femme sanglante dont l'apparition l'avait épouvanté dans la cave après qu'il eut brisé la bouteille.
Cette femme lui disait :
– Pourquoi m'as-tu pressée sur ton cœur, et ensuite immolée… moi qui t'aimais tant ?
Chaque fois que l'épouse du sergent avait trop fêté le cachet vert, elle voyait dans son sommeil apparaître un grand diable, d'un aspect épouvantable, qui lui disait :
– Pourquoi t'étonner de me voir… puisque tu as bu de la bouteille ? Ne suis-je pas le père de ton enfant ?…
Ô mystère !
Parvenu à l'âge de treize ans, l'enfant disparut.
Ses parents, inconsolables, continuèrent de boire, mais ils ne virent plus se renouveler les terribles apparitions qui avaient tourmenté leur sommeil.

Gérard de Nerval, *Le Monstre vert*, 1849.

• Le Diable

Dans cette nouvelle, Pierre Gripari illustre une autre expression populaire. À la fois « bon petit diable », c'est-à-dire enfant turbulent mais adorable, et animal de compagnie, le diablotin de ce conte est rapporté par un époux attentionné à son épouse qui se prend immédiatement d'affection pour lui. En grandissant, il commet bien sûr de nombreuses facéties…

Il se tenait à la porte, une main derrière le dos.
– Tu m'apportes quelque chose ? Quoi donc ?
– Tiens, regarde !
Il me tend sa main, grande ouverte, et je vois, roulé en boule dans le creux, un tout petit diable, minuscule, un amour de bébé diable, dont les yeux étaient à peine ouverts. Il ne devait pas avoir plus de quelques jours. Sa peau était d'un joli vert, ses cornes n'étaient pas encore poussées, et il ne tenait même pas sur ses petites pattes. Il essayait de se mettre debout, et aussitôt il retombait, l'air tout endormi… Il était à croquer !

À partir de ce jour-là, tu penses bien, dès que j'avais une minute de libre, c'était pour m'occuper du diable ! J'ai commencé par le nourrir avec du pain trempé dans du lait, ensuite je lui ai fait de la pâtée avec quelques légumes et, plus tard, quelques morceaux de viande... Il était bidochard, l'animal ! Au début, il prenait la viande et il laissait le reste ! Mais je suis quand même arrivée à lui faire manger de tout, comme nous autres !
J'ai profité aussi de ce qu'il était tout petit pour lui apprendre la propreté. On dit que les diables sont sales. Non, pas plus que les petits enfants. Il suffit de leur donner de bonnes habitudes. Le nôtre avait un plat pour manger, un autre, avec de la sciure de bois, pour faire ses besoins, et il se conduisait comme un vrai gentleman.
Le plus difficile, au début, ç'a été de lui trouver un nom. Nous nous sommes creusé la tête pendant des semaines. Ton père voulait l'appeler Satan ou Lucifer, mais moi, ça ne me plaisait pas. J'aurais voulu l'appeler Rip ou Toby, mais ton père disait que c'étaient des noms de chiens, et pas des noms de diables. Provisoirement, je me suis mise à l'appeler tout simplement : Diable. Et comme nous n'avons rien trouvé de mieux, en fin de compte, c'est ce nom-là qui lui est resté.
Il était d'ailleurs très obéissant, et dès qu'on l'appelait, il accourait tout de suite. Ça nous a joué de ces tours ! – Tiens ! Un beau jour, ta tante Léonie vient nous rendre visite. Comme elle était un peu vieux jeu, nous avions enfermé le diable dans la cuisine. Je ne sais pas comment il est arrivé à s'échapper, toujours est-il que ta tante était assise dans le fauteuil, en train de parler avec nous, et tout à coup, au milieu de la conversation, elle s'exclame :
– Diable !
Elle n'avait pas plus tôt dit ça, mon Pierrot, que le diable, sortant de je ne sais où, lui saute sur les genoux ! Ta pauvre tante était très pieuse, nous ne l'avons jamais revue...

Pierre Gripari, *Diable, Dieu et autres contes de menterie*,
« Diable », La Table Ronde, 1965.

Bibliographie et discographie

Autres œuvres de Théophile Gautier à lire

Onuphrius, récit fantastique, 1832.
La Morte amoureuse, récit fantastique, 1836.
Arria Marcella, récit fantastique, 1852.
Avatar, récit fantastique, 1856.
Jettatura, récit fantastique, 1856.
Le Capitaine Fracasse, roman, 1863.

D'autres contes et textes fantastiques à lire

La Dimension fantastique, anthologie de contes fantastiques en trois volumes, Librio, 1998-1999.
Prosper Mérimée, *La Vénus d'Ille*, Hachette, coll. « Bibliocollège », 1999.
Guy de Maupassant, *Contes fantastiques*, Deux coqs d'or, 1995.
Pierre Gripari, *Diable, Dieu et autres contes de menterie*, Gallimard, coll. « Folio », 1980.
Le Fantastique en poésie, anthologie de poésies fantastiques de J. Charpentreau, Gallimard Jeunesse, coll. « Folio Junior », 1980.

Pour en savoir plus

• Sur la vie des artistes et des écrivains au XIXe siècle

Henri Murger, *Scènes de la vie de bohème*, 1847-1849.

• **Sur l'Égypte**

C. Jacq, *Contes et légendes du temps des pyramides*, Nathan, coll. « Contes et légendes », 1999.
B. Évano, *Contes et légendes de l'Égypte ancienne*, Nathan, coll. « Contes et légendes », 1998.

• **Sur Hercule et la mythologie**

C. Grenier, *Contes et légendes – Les douze travaux d'Hercule*, Nathan, coll. « Contes et légendes », 1999.
C. Grenier, *Contes et légendes des héros de la mythologie*, Nathan, coll. « Contes et légendes », 1999.
C. Pousadoux, *Contes et légendes de la mythologie grecque*, Nathan, coll. « Contes et légendes », 1998.

DISCOGRAPHIE

Parmi d'autres, trois œuvres donnent un aperçu sonore et musical de l'esprit romantique fantastique :
Hector Berlioz, *Symphonie fantastique*, 1830.
Gounod, *Faust*, opéra de 1859.
Carl Maria von Weber, *Der Freischütz* (le chasseur), opéra de 1821.

Imprimé en Italie par «La Tipografica Varese S.p.A.»
Dépôt légal : 51688-10/2004 - Collection n° 46 - Edition n° 06 - **16/7951/3**